"Greg Gilbert é um dos homens mais talentosos e mais fiéis chamados a servir à igreja hoje. Neste livro, ele nos oferece um entendimento penetrante, fiel e totalmente bíblico do evangelho de Jesus Cristo. Não há necessidade maior do que a de conhecer o verdadeiro evangelho, reconhecer suas falsificações e desencadear uma geração de cristãos centrados no evangelho. Este livro importante chega no momento certo."

R. Albert Mohler Jr., *presidente*,
The Southern Baptist Theological Seminary

"Duas realidades tornam este livro muito importante: a centralidade do evangelho em todas as gerações e a confusão a respeito do evangelho em nossa própria geração. Este livro nos oferece uma explicação fiel do evangelho e nos capacita a discernir os desvios dessa mensagem gloriosa. Como desejo que este livro seja colocado nas mãos de cada pastor e cada membro de igreja!"

Sovereign Grace Ministries

"Greg Gilbert argumenta que o entendimento contemporâneo do evangelho está perdido em um nevoeiro de confusão. Ele dissipa o nevoeiro por lançar nova luz sobre um assunto antigo. Gilbert escreve em um estilo claro, conciso e fácil que apelará, em especial, aos jovens adultos. O que É o Evangelho? aguçará o pensamento do leitor a respeito do evangelho, gravando-o mais profundamente em seu coração, para que possa compartilhar com ousadia as boas-novas de Jesus Cristo. Este livro levará o leitor a meditar na extensão em que o evangelho tem impactado sua própria vida e o estimulará a louvar a Deus com gratidão pelo que Cristo fez."

James MacDonald, pastor,
Harvest Bible Chapel, Chicago

"Uma maravilhosa narração da velha história em palavras novas – com advertências corretas contra as apresentações sutis e errôneas do evangelho. Como afirma uma antiga canção evangélica e como é verdade a respeito deste excelente livro de Greg Gilbert, aqueles que conhecem bem a velha história sentirão fome e sede de ouvi-la."

Bryan Chapell, presidente,
Covenant Theological Seminary

"Greg Gilbert é alguém que tive a honra e o privilégio de ensinar e que agora está me ensinando. Este pequeno livro é um dos mais claros e mais importantes que li em anos recentes."

Mark Dever, pastor,
Capitol Hill Baptist Church, Washing DC

"O que É o evangelho? Este livro pequeno, mas poderoso, responde a essa pergunta, em uma apresentação clara e concisa. É uma abordagem esplêndida das boas-novas. Leia-o e passe-o adiante."

Daniel L. Akin, presidente,
Southeastern Baptist Theological Seminary

"Greg Gilbert, com uma mente perspicaz e um coração de pastor, escreveu um livro que será proveitoso para os interessados no evangelho, para os novos crentes e para qualquer pessoa que queira entender o evangelho com maior clareza. Tenho esperado por livros como este! Sendo um excelente guia para um assunto de controvérsias, este livro esclarece os mal-entendidos sobre o evangelho, o reino e o significado da cruz."

Kevin deYoung, pastor,
University Reformed Church, East Lansing, Michigan

"O que É o Evangelho? demonstra, de maneira sensível e impressionante, que o evangelho é indescritivelmente profundo, bem como eminentemente descritível – tão claro que qualquer pessoa pode compreendê-lo."

Paige Patterson, presidente,
Southwestern Baptist Theological Seminary

"Greg Gilbert chama a igreja de volta à fonte de sua revelação. De maneira simples e franca, ele esclarece o que a Bíblia ensina sobre o significado do evangelho."

Arcebispo Peter J. Akinola,
Primaz da Igreja da Nigéria, Comunhão Anglicana

"Em uma Era de dúvida e pragmatismo, não existe desafio maior do que o de tornar claro o glorioso evangelho. Essa é a grande necessidade do cristão maduro, bem como do incrédulo. Neste livro sábio e acessível, Greg Gilbert responde claramente à pergunta mais importante já feita."

Darrin Patrick, vice-presidente,
The Acts 29 Church Planting Network

"Greg Gilbert desfaz a confusão por examinar as Escrituras para responder à pergunta mais importante que alguém pode fazer. Embora você pense que já conheça as boas-novas do que Deus fez em Cristo, Greg Gilbert aprimorará seu foco neste glorioso evangelho."

Collin Hansen, Christianity Today, editor

"Em meio a uma cultura cristã contemporânea caracterizada por confusão no que diz respeito às doutrinas centrais de nossa fé, Greg Gilbert nos oferece uma apresentação do evangelho que é clara para aqueles que já creram e convincente para aqueles que ainda têm de crer. Saturado da Palavra, centrado na cruz e exaltando a Deus, O que É o Evangelho? cativará a atenção de nossa mente e inflamará as afeições do coração para com o Deus que salva por sua graça, mediante o seu evangelho, para sua glória."

David Platt, pastor,
The Church at Brook Hill, Birmingham, Alabama

"Clareza quanto ao evangelho produz confiança no evangelho e convicção concernente às suas verdades centrais. Este livro excelente é muitíssimo claro e biblicamente fiel, e recompensará a leitura com um novo foco no evangelho."

William Taylor, pároco,
St. Helen's Bishopsgate, Londres

"Quando penso no aspecto mais importante de minha Bíblia, meu coração considera imediatamente o evangelho. Conheço muitas pessoas que amam o evangelho, mas estou sempre disposto a amá-lo mais e a entendê-lo melhor. Greg Gilbert escreveu este livro para ajudar-nos a conhecer e amar mais o evangelho."

Johnny Hunt, presidente,
Southern Baptist Convention,
Pastor, First Baptist Church, Woodstock, Georgia

"O que torna este livro profundo é a sua simplicidade. Talvez o maior perigo no cristianismo esteja em se fazer conjecturas a respeito do que é o evangelho sem ouvir a voz clara e inequívoca da Bíblia. Não exageramos em dizer que este pode ser o livro mais importante que você lerá sobre a fé cristã."

Rick Holland, pastor,
Grace Community Church, Sun Valley, California

O que é o Evangelho

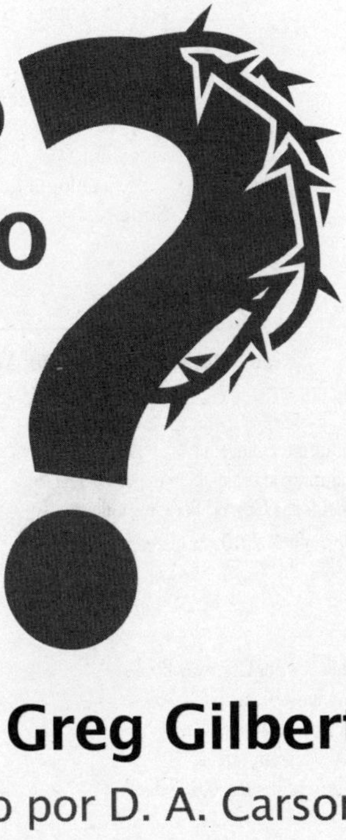

Greg Gilbert

Apresentação por D. A. Carson

```
G464q    Gilbert, Greg, 1977-
             O que é o Evangelho? / Greg Gilbert ; prefácio de D. A.
         Carson ; [tradução: Francisco Wellington Ferreira] – 1.
         ed., 1 reimpr. – São José dos Campos, SP : Fiel, 2015.

             168 p. ; 16 cm. – (9 marcas ; ix)
             Tradução de: What is the gospel?
             ISBN 9788599145890

             1. Teologia dogmática - Obras populares. I. Título. II.
         Série.

                                                              CDD: 230
```

Catalogação na publicação: Mariana C. de Melo – CRB07/6477

O Que é o Evangelho?
Traduzido do original em inglês
What is the Gospel? Por Greg Gilbert
Copyright © 2010 por Gregory D. Gilbert

■

Publicado por Crossway Books
Um ministério de publicações
de Good News Publishers
1300 Crescent Street
Wheaton, Illinois, 60187, USA

Esta edição foi publicado através
de um acordo com Good News Publishers
Copyright © 2010 Editora Fiel
Primeira Edição em Português: 2011

*Todos os direitos em língua portuguesa reservados
por Editora Fiel da Missão Evangélica Literária*

PROIBIDA A REPRODUÇÃO DESTE LIVRO POR
QUAISQUER MEIOS, SEM A PERMISSÃO ESCRITA
DOS EDITORES, SALVO EM BREVES CITAÇÕES,
COM INDICAÇÃO DA FONTE.

■

Diretor: Tiago J. Santos Filho
Editor-chefe: Vinicius Musselman
Editor: Tiago J. Santos Filho
Tradução: Franciso Wellington Ferreira
Revisão: Tiago J. Santos Filho e Paulo Cesar Valle
Diagramação: Wirley Corrêa - Layout
Capa: Rubner Durais
ISBN: 978-85-99145-89-0

Caixa Postal 1601
CEP: 12230-971
São José dos Campos, SP
PABX: (12) 3919-9999
www.editorafiel.com.br

Para Moriah
Eu te amo,
Muito, muito.

Sumário

Apresentação da Série 15

Apresentação por D. A. Carson 19

Introdução 21

1 — Achando o Evangelho na Bíblia 33

2 — Deus, o Criador Justo 53

3 — Homem, o Pecador 65

4 — Jesus Cristo, o Salvador 81

5 — Resposta – Fé e Arrependimento 97

6 — O Reino 115

7 — Mantendo a Cruz no Centro 137

8 — O Poder do Evangelho 151

Agradecimentos 163

Apresentação da Série

A série de livros *Nove Marcas* é fundamentada em duas idéias básicas. Primeira, a igreja local é muito mais importante à vida cristã do que muitos cristãos imaginam hoje. No ministério Nove Marcas, cremos que um cristão saudável é um membro de igreja saudável.

Segunda, igrejas locais crescem em vida e vitalidade quando organizam sua vida ao redor da Palavra de Deus. Deus Fala. As igrejas devem ouvir e seguir. É bem simples. Quando uma igreja ouve e segue, ela começa a parecer com aquele que ela segue, refletindo seu amor e sua santidade. Ela demonstra a glória de Deus. Essa igreja parecerá com ele à medida que o ouve.

Com base nessas idéias, o leitor pode observar que todos os livros da série Nove Marcas, resultantes do livro

Nove Marcas de Uma Igreja Saudável (Editora Fiel), escrito por Mark Dever, começam com a Bíblia:

- Pregação Expositiva ;
- Teologia Bíblica;
- O evangelho;
- Um Entendimento Bíblico da Conversão;
- Um Entendimento Bíblico da Evangelização;
- Um Entendimento Bíblico de Membresia na Igreja;
- Disciplina Bíblica na Igreja;
- Interesse pelo Discipulado e Crescimento;
- Liderança Bíblica na Igreja.

Poderíamos falar mais sobre o que as igrejas deveriam fazer para serem saudáveis, tal como orar. Mas essas nove práticas, conforme pensamos, são frequentemente as mais ignoradas em nossos dias (o que não acontece com a oração). Portanto, nossa mensagem básica às igrejas é esta: não atentem às práticas que produzem mais resultados, nem aos estilos mais recentes. Olhem para Deus. Comecem por ouvir a Palavra de Deus novamente.

Um fruto desse projeto abrangente é a série de livros Nove Marcas. Esses livros têm a intenção de examinar as nove marcas mais detalhadamente, por ângulos diferentes. Alguns dos livros têm como alvo os pastores. O alvo de outros são os membros de igreja. Esperamos que todos os livros da série combinem análise bíblica cuidadosa, reflexão teológica, consideração cultural, aplicação corporativa e um pouco de exortação individual. Os melhores livros cristãos são sempre teológicos e práticos.

Nossa oração é que Deus use este livro e os outros da série para ajudar-nos a preparar a noiva, a igreja, com beleza e esplendor para o dia da vinda de Cristo.

Apresentação por D. A. Carson

Mais de trinta anos de ensino a estudantes de teologia têm me mostrado que a pergunta mais controversa que eles fazem varia a cada geração – e isso também é verdade com referência ao público cristão mais amplo. Em um momento, você pode ter um debate acirrado por lançar a pergunta: o que você pensa do movimento carismático? Ou: vale a pena defender a inerrância bíblica? Ou: o que você acha das igrejas de ministérios que se acomodam aos desejos dos interessados no evangelho? Hoje é muito fácil achar pessoas desejosas de discutir esses assuntos, mas os benefícios e os discernimentos resultantes são poucos. Hoje a pergunta que provavelmente acenderá um estopim é – como o autor deste livro ressalta – *o que é o evangelho?* E poderíamos, com proveito, acrescentar esta pergunta correspondente: *o que é o evangelicalismo?*

O fato de que essas perguntas produzem respostas mutuamente exclusivas, defendidas com dogmatismo e um mínimo de reflexão na Bíblia, é, francamente, alarmante, porque esses assuntos são fundamentais. Quando os "evangélicos" mantêm opiniões muito discrepantes sobre o que é o "evangelho" (ou seja, as "boas-novas", pois isso é o que significa o vocábulo "evangelho"), alguém há de concluir que o evangelicalismo como movimento é um fenômeno diversificado que não tem um evangelho aceito por todos nem um senso de responsabilidade de "batalhar pela fé" que o Senhor entregou "uma vez por todas" a nós, seu povo (Jd 3); ou há de concluir que muitas pessoas se chamam evangélicas mas não têm qualquer direito de fazer isso, porque deixaram para trás o evangelho, as "boas-novas".

Leia Greg Gilbert. Este livro não reivindica apresentar um novo fundamento, e sim examinar um velho fundamento que jamais deveria ter sido ser ignorado e, muito menos, abandonado. A clareza de pensamento e de redação de Greg é totalmente admirável. Este livro aprimorará o pensamento de muitos cristãos maduros. E, de modo ainda mais relevante, este é um livro que deve ser distribuído amplamente aos líderes de igreja, aos jovens cristãos e até para alguns que ainda não creram em Cristo e desejam uma explicação clara do que é o evangelho. Leia-o e, depois, compre diversos dele para distribuição generosa.

D. A. Carson

Introdução

O que é o evangelho de Jesus Cristo?

Talvez você pense que essa é uma pergunta fácil de responder, especialmente para os cristãos. De fato, talvez você pense que escrever um livro como este – que pede aos cristãos que pensem cuidadosamente na pergunta "O que é o evangelho de Jesus?" – é totalmente desnecessário. É como pedir a carpinteiros que se assentem e considerem a pergunta "O que é um martelo?"

Afinal de contas, o evangelho de Jesus Cristo está no próprio âmago do cristianismo. E nós, cristãos, afirmamos seguir o evangelho acima de tudo. O evangelho é aquilo sobre o que tencionamos alicerçar nossa vida e edificar nossas igrejas.

É o assunto do qual falamos com os outros e desejamos que eles o ouçam e creiam nele.

Por tudo isso, você acha realmente que a maioria dos cristãos possui um entendimento bastante firme do conteúdo do evangelho? Como você responderia se alguém lhe perguntasse: O que são estas novas que vocês, cristãos, divulgam em todos os lugares? E o que é tão bom nessas novas?

Meu sentimento é o de que muitos cristãos responderiam com algo aquém do que a Bíblia mantém como "o evangelho de Jesus Cristo". Talvez eles responderiam: "O evangelho é a mensagem de que Deus perdoará os seus pecados, se você crer nele." Ou diriam algo assim: "A boa notícia é que Deus ama você e tem um plano maravilhoso para a sua vida". Ou: "O evangelho diz que você é um filho de Deus, e Deus quer que seus filhos vivam de maneira abundantemente bem-sucedida". Alguns sabem que é importante dizer algo sobre a morte de Jesus na cruz e sobre a sua ressurreição. Mas, como tudo isso se harmoniza?

O fato é que obter concordância dos cristãos quanto a uma resposta à pergunta "O que é o evangelho?" não é tão simples como deveria ser. Trabalho em um ministério chamado Nove Marcas, uma organização filiada à Capitol Hill Baptist Church, em Washington DC. Em sua maioria, aqueles que leem o nosso material e o comentam são de segmentos restritos do cristianismo evangélico. Creem que a Bíblia é verdadeira e inerrante; creem que Jesus morreu na cruz e ressuscitou fisicamente dos mortos; creem que os seres humanos são pecadores e necessitam de salvação, e tencionam ser pessoas centradas no evangelho e saturadas do evangelho.

No entanto, que tema abordado de modo singular você acha que produz os mais enérgicos comentários e reações dentre as coisas que escrevemos? Sim, é o evangelho. Podemos escrever e falar, durante vários meses, sobre pregação, discipulado, governo eclesiástico e, até, música na igreja, e a reação de nossos ouvintes é interessante, mas não surpreendente. Mas, se publicamos um artigo no qual tentamos ser claros a respeito do que a Bíblia ensina sobre as boas-novas do cristianismo, a reação deles é admirável.

Algum tempo atrás, um de meus amigos publicou, em nosso website, um pequeno artigo sobre um famoso artista cristão a quem, numa entrevista, pediram que definisse as boas-novas do cristianismo. Eis o que ele respondeu:

> Que pergunta importante! Acho que provavelmente... meu instinto é dizer que o evangelho significa a vinda, a morte e a ressurreição de Jesus, e a sua inauguração da imediata mas ainda futura restauração de

todas as coisas a ele mesmo... e isso é operado por ele mesmo... significa a reparação de todas as coisas... esse processo tanto começa como está se tornando realidade na vida e no coração dos crentes; e, num dia futuro, o processo se realizará mais plenamente. Mas as boas-novas, o evangelho, a comunicação das boas-novas, eu diria, é as novas do reino vindouro de Cristo, a inauguração do seu reino vindouro... isso é o meu instinto.

Vários de nossa equipe responderam fazendo perguntas como: "Se estivéssemos definindo o evangelho cristão, não deveríamos incluir uma *explicação* sobre a morte e a ressurreição de Jesus?" Ou: "Não deveríamos dizer algo sobre o pecado e a necessidade de salvação da ira de Deus contra o pecado?"

As respostas a essa série de artigos foram incríveis. Durante, literalmente, vários meses, recebemos centenas de mensagens sobre o assunto. Algumas pessoas nos escreveram apreciando as perguntas que fizemos; outros indagaram o que havia de errado em afirmar o evangelho dessa maneira, visto que Jesus pregara sobre a chegada do reino. Outros foram revigorados em ouvir os cristãos pensando com seriedade a respeito de como devemos afirmar o evangelho.

Introdução

De alguma maneira, sinto-me feliz em ver os cristãos ficando acalorados quando iniciamos uma discussão sobre o evangelho. Isso significa que os cristãos estão levando a sério o evangelho e têm pensamentos profundos sobre o que é o evangelho. Não há nada saudável em cristãos que não se importam com a maneira como definimos e entendemos o evangelho. Por outro lado, penso que o calor gerado pelas discussões sobre o evangelho revela uma confusão geral que permeia nossos dias. Quando você considera o âmago do assunto, percebe que os cristãos não concordam sobre o que é o evangelho – até cristãos que se chamam evangélicos.

Pergunte a uma centena de professores cristãos evangélicos o que são as boas-novas de Jesus. Talvez você terá muitas respostas diferentes. Ouça a pregação evangélica, leia livros evangélicos, acesse sites evangélicos, e você achará uma descrição após outra do evangelho, muitas das quais se excluem mutuamente. Eis algumas que achei:

> As boas-novas são: Deus quer mostrar-lhe seu incrível favor. Ele quer encher sua vida com "vinho novo"; mas, você está disposto a livrar-se do seu odre velho? Você começará a pensar grande? Você ampliará a sua visão e se livrará da velha mentalidade negativa que o retêm?

Eis o evangelho em uma frase. Cristo morreu por nós, e aqueles que confiam nele podem saber que sua culpa foi perdoada uma vez por todas. O que teremos a dizer perante o tribunal de juízo de Deus? Somente uma coisa: Cristo morreu em meu lugar. Isso é o evangelho.

A mensagem de Jesus pode ser identificada como a mais revolucionária de todos os tempos: "O império revolucionário e radical de Deus está aqui, avançando por meio de reconciliação e paz, expandindo pela fé, pela esperança e pelo amor – começando com os mais pobres, os mais humildes, os mais fracos e os mais insignificantes. É tempo de mudar sua maneira de pensar. Tudo vai mudar. É tempo de uma nova maneira de viver. Creia em mim. Siga-me. Creia nestas boas-novas para que você aprenda a viver por elas e seja parte da revolução".

As boas-novas são que a face de Deus estará sempre voltada para você, apesar do que você faz, de onde quer que esteja e de quanto erros já cometeu. Deus o ama e está voltado em sua direção, olhando para você.

Em si mesmo, o evangelho refere-se à proclamação de que Jesus, o Messias crucificado e ressuscitado, é o único e verdadeiro Senhor do mundo.

Boas notícias! Deus se tornando Rei e fazendo-o por meio de Jesus! Portanto, a justiça de Deus, a paz de Deus, o mundo de Deus serão renovados. E, em meio a isso, há boas notícias para você e para mim. Mas isso se deriva ou resulta das boas-novas que são uma mensagem sobre Jesus e tem um efeito de segunda ordem em mim, em você e em nós. Mas o evangelho não é especificamente sobre *que tipo de pessoa você é e que tal coisa pode lhe acontecer*. Isso é o resultado do evangelho e não o evangelho em si mesmo... A salvação é o *resultado* do evangelho e não o centro do próprio evangelho.

O evangelho é a proclamação de Jesus, em [dois] sentidos. É proclamação *anunciada* por Jesus – a chegada da esfera de possibilidade de Deus (seu "reino") em meio a estruturas de possibilidades humanas. Mas é também a proclamação *sobre* Jesus – as boas-novas de que, por morrer e ressuscitar, Jesus nos tornou disponível o reino que ele proclamava.

Visto que sou um cristão, tento apenas orientar-me para viver de uma maneira específica, a maneira que Jesus ensinou ser possível. E acho que a maneira de Jesus é a melhor maneira de viver possível... Com o passar do tempo, à medida que você procura viver resolutamente à maneira de Jesus, você começa a perceber que algo mais profundo está acontecendo. Começa a entender que esta é a melhor maneira de viver porque ela está arraigada em verdades profundas a respeito de como é o mundo. Você se vê vivendo cada vez mais em harmonia com a realidade última. Está cada vez mais em sintonia com a maneira de ser do universo em seus níveis profundos... Os primeiros cristãos anunciaram essa maneira de viver de Jesus como "as boas-novas".

Meu entendimento da mensagem de Jesus é que ele nos ensina a viver na realidade de Deus agora – aqui, hoje. É quase como se Jesus continuasse a dizer: "Mude sua vida. Viva desta maneira".

Você compreende o que estou dizendo quando afirmo que o evangelho está cercado de confusão! Se você nunca tivesse ouvido falar do cristianismo, o que poderia pensar depois de ler essas poucas citações? Obviamente, você saberia que os cristãos tencionam comunicar alguma mensagem que é boa. Contudo, essa mensagem é apenas uma miscelânea. As boas-novas são apenas que Deus me ama e que preciso começar a pensar mais positivamente? Ou que Jesus é um bom exemplo e pode ensinar-me a viver de maneira amável e compassiva? Elas podem ter alguma relação com o pecado e o perdão. Alguns cristãos parecem imaginar que essas boas-novas têm alguma ligação com a morte de Jesus. Outros parecem não pensar assim.

Meu alvo não é determinar, nesta altura, quais dessas citações são melhores ou piores do que as demais (embora eu espere que, depois da leitura deste livro, você mesmo será capaz de determinar isso). Meu objetivo é apenas ressaltar como muitas coisas diferentes vêm à mente das pessoas quando lhes perguntamos: o que é o evangelho?

Neste livro, tentarei oferecer uma resposta clara para essa pergunta, uma resposta que se baseia no que a Bíblia ensina sobre o evangelho. No processo, espero e oro por várias coisas.

Primeira, se você é um verdadeiro cristão, espero que este pequeno livro e – o que é mais importante – as verdades gloriosas que ele procura afirmar façam seu coração dilatar-se em alegria e louvor para com Jesus Cristo, pelo que ele fez por você. Um evangelho debilitado leva a uma adoração debilitada. Esse tipo de evangelho afasta nossos olhos de Deus e fixa-os no ego, barateando o que Deus realizou por nós em Cristo. Por contraste, o evangelho bíblico é como combustível na fornalha da adoração. Quanto mais você o entende, quanto mais crer nele e descansa nele, tanto mais você adora a Deus pelo que ele é e pelo que fez por nós em Cristo. Paulo clamou: "Ó profundidade da riqueza, tanto da sabedoria como do conhecimento de Deus! Quão insondáveis são os seus juízos, e quão inescrutáveis, os seus caminhos!" (Rm 11.33). E fez isso porque seu coração estava cheio do evangelho.

Segunda, espero que a leitura deste livro lhe dê profunda confiança enquanto fala aos outros sobre as boas-novas de Jesus. Tenho encontrado cristãos que hesitam em compartilhar o evangelho como os amigos, familiares e conhecidos porque temem não ter as respostas certas para todas as perguntas deles. Bem, não importando quem você seja, pode ser verdade que nunca será capaz de responder *todas* as perguntas! Mas talvez *possa* responder *algumas* delas. E espero que este livro o ajude a responder *mais* dessas perguntas.

Terceira, espero que você veja a importância deste evangelho para a vida da igreja e que, como resultado, trabalhe para garantir que este evangelho seja pregado, cantado, orado, ensinado, proclamado e ouvido em cada aspecto da vida de sua própria igreja. É por meio da igreja, disse Paulo, que a multiforme sabedoria de Deus se torna conhecida para o universo. E como isso acontece? Por meio da pregação do evangelho, que manifesta a todos o eterno plano de Deus para salvar o mundo (Ef 3.7-12).

Quarta, espero que este livro ajude-o a fortalecer as arestas do evangelho em sua mente e seu coração. O evangelho é uma mensagem absoluta, que se intromete no pensamento e nas prioridades do mundo com verdades pungentes e estimulantes. Infelizmente, sempre tem existido entre os cristãos – até entre os evangélicos – uma tendência de abrandar as arestas do evangelho, para que ele se torne mais aceitável ao mundo. Uma de minhas orações é que este livro sirva para preservar essas arestas e impedir a erosão das verdades que, embora difíceis de serem aceitas pelo mundo, são indispensáveis às boas-novas de Jesus. Por desejarmos ser testemunhas agradáveis, todos nós somos tentados a apresentar o evangelho de modo tão atraente quanto possível. Isso é bom em alguns aspectos – afinal de contas, o evangelho é "boas-novas" – mas temos de ser igualmente cuidadosos para não polirmos as asperezas do evangelho. Temos de preservar as arestas; e espero que este livro nos ajude a fazer isso.

Por fim, se você não é um cristão verdadeiro, oro para que, pela leitura deste livro, você seja provocado a pensar seriamente sobre as boas-novas de Jesus Cristo. Essa é a mensagem sobre a qual nós, cristãos, temos firmado toda a nossa vida. É a mensagem que cremos exige uma resposta de você. Se há algo no mundo que você não pode se dar ao luxo de ignorar, isso é a voz de Deus, que diz: "Boas notícias! Esta é a maneira como você pode ser salvo de meu julgamento!". Esse é o tipo de declaração que exige atenção.

Capítulo 1

Achando o Evangelho na Bíblia

Você sabia que o sistema de navegação GPS está causando destruição em cidades nos Estados Unidos? Isso acontece especialmente em cidades pequenas. Para as pessoas que moram em cidades grandes, os pequenos aparelhos são salva-vidas. Ligue o GPS, digite o endereço e, assim, você estará pronto para seguir em frente. Nenhuma entrada errada, nenhuma curva errada – apenas você, seu carro, seu GPS e: "Você chegou ao seu destino!"

Adquiri recentemente meu primeiro aparelho GPS, o que foi um ato de desafio a quem quer que seja responsável pelo quase impossível sistema de ruas em Washington DC. No entanto, minha primeira experiência com o GPS não foi em Washington. Foi em Linden (no Texas), minha bem pequena, bem rural e bem remota cidade natal.

Acontece que meu GPS não tem qualquer problema em navegar pelas ruas de mão dupla e repletas de cruzamentos de Washington. Estranhamente, ele teve problema de navegação em Linden. Ruas que o GPS estava certo de que existiam não existiam. Curvas que ele teimava serem possíveis não eram. Endereços que o GPS acreditava com firmeza ser em determinado lugar estavam várias centenas de metros rua abaixo – ou nem existiam.

Aparentemente, a ignorância do sistema GPS em relação às cidades pequenas é um problema crescente. O noticiário da rede ABC de televisão veiculou uma história sobre ruas de certo bairro que se tornaram, literalmente, avenidas comerciais, pois o sistema GPS estava direcionando o tráfego para lá, em vez de guiá-lo para as amplas estradas. Há também outros problemas. Um homem da Califórnia insistiu que estava apenas seguindo as instruções do GPS quando fez uma curva à direita em uma estrada rural e se viu preso numa linha de trem, olhando extasiado o sinal de alerta de uma locomotiva que se aproximava! Ele sobreviveu. Mas o carro alugado e presumivelmente o GPS ofensor não se saíram tão bem.

Um representante da American Automobile Association foi um tanto simpático. "É claro que o GPS falhou em relação ao motorista no sentido de que não lhe devia ter dito que fizesse uma curva à direita em uma linha de trem", ele disse.

"Mas só porque um aparelho lhe diz que deve fazer algo potencialmente perigoso, isso não implica que você deve fazê-lo." Certamente!

Então, o que está acontecendo? Os fabricantes de GPS dizem que o problema não está nos próprios aparelhos. Eles fazem exatamente o que deveriam fazer. Em vez disso, o problema está nos mapas que os aparelhos estão carregando. Acontece que, especialmente no caso de cidades pequenas, os mapas disponíveis para o sistema GPS foram, com frequência, elaborados há dez anos ou mais e estão desatualizados. Às vezes, esses mapas são nada mais do que mapas de planejamento – o que os planejadores da cidade *tencionavam* se a cidade crescesse. Qual é o resultado? Algumas vezes, os endereços mostrados em um lugar nos mapas de planejamento terminam sendo em outro lugar, quando a cidade realmente cresceu. Às vezes, as ruas que os planejadores idealizaram nunca foram feitas – e, às vezes, foram feitas não como ruas, e sim como vias férreas!

No mundo do GPS, como na vida, é importante obtermos a informação de uma fonte confiável!

Qual é a Nossa Autoridade?

Esse princípio também é verdadeiro quando lidamos com a pergunta "O que é o evangelho?". Bem no começo, temos de fazer algum tipo de decisão sobre que fonte de informação usaremos para obter a resposta para essa pergunta. Para os evangélicos, a resposta é, costumeiramente, muito fácil: achamos a resposta na Bíblia.

Isso é verdade. Entretanto, é útil sabermos de antemão que nem todos concordam totalmente com essa resposta. Tradições cristãs diferentes têm oferecido inúmeras respostas para essa questão de autoridade. Por exemplo, alguns têm argumentado que devemos fundamentar nosso entendimento do evangelho não única e primariamente nas palavras da Bíblia, mas também na tradição cristã. Se a igreja tem crido em algo por muito tempo, argumentam eles, devemos entender isso como sendo verdadeiro. Outros têm dito que conhecemos a verdade pelo uso da razão. Edificar nosso conhecimento da base para cima – A leva a B, que leva a C, que leva a D – nos trará um verdadeiro entendimento de nós mesmos, do mundo e de Deus. Outros dizem que devemos procurar a verdade do evangelho em nossa própria experiência. Aquilo que ressoa mais em nosso próprio coração é o que, por fim, entendemos ser verdadeiro a respeito de nós mesmos e de Deus.

Se você gastar muito tempo pensando sobre isso, compreenderá que, em última análise, cada uma dessas três potenciais fontes de autoridade falha em realizar o que promete.

A tradição nos leva a depender de nada mais do que opiniões de homens. A razão, como qualquer filósofo iniciante lhe dirá, nos deixa a debater-nos na incerteza (Por exemplo, tente *provar* que você não é apenas uma invenção da imaginação de alguém ou que seus cinco sensos são realmente confiáveis). E a experiência nos leva a depender de nosso coração instável para decidir o que é verdadeiro – essa é uma perspectiva muito honesta que as pessoas acham, no melhor, desconcertante.

Então, o que devemos fazer? A que fonte devemos ir para saber o que é verdadeiro e, portanto, o que é realmente o evangelho de Jesus Cristo? Como cristãos, cremos que Deus nos tem falado em sua Palavra, a Bíblia. Além disso, cremos que o que Deus falou na Bíblia é inerrante e infalivelmente verdadeiro e, portanto, não nos leva à incredulidade, ao desespero e à incerteza, e sim à confiança. "Toda a Escritura é inspirada por Deus", disse Paulo, "e útil para o ensino" (2 Tm 3.16). O rei Davi escreveu:

> O caminho de Deus é perfeito;
> a palavra do Senhor é provada (Sl. 18.30).

Portanto, é a Palavra de Deus que buscamos a fim de saber o que ele nos disse sobre seu Filho, Jesus, e sobre as boas notícias do evangelho.

O que Devemos Examinar na Bíblia?

No entanto, o que devemos examinar na Bíblia para sabermos isso? Suponho que há diferentes abordagens que podemos seguir. Uma delas é considerar todas as passagens em que a palavra *evangelho* ocorre no Novo Testamento e tentar chegar a algum tipo de conclusão sobre o que os escritores queriam dizer quando usaram a palavra. Com certeza, há poucas passagens em que os escritores são cuidadosos em defini-la.

Há coisas importantes a aprendermos dessa abordagem, mas há também desvantagens. Uma delas é que muitas vezes, no Novo Testamento, um escritor tencionava apresentar um resumo das boas-novas do Cristianismo, embora não tenha usado, de modo algum, a palavra *evangelho*. Por exemplo, considere o sermão de Pedro, no dia de Pentecostes, relatado em Atos 2. Se já houve uma proclamação das boas-novas do Cristianismo, esse sermão foi, com certeza, tal proclamação. Todavia, Pedro não mencionou a palavra *evangelho*. Outro exemplo, é o apóstolo João, que usou a palavra somente uma vez em todos os seus escritos no Novo Testamento (Ap. 14.6).

Permita-me sugerir, por enquanto, que cumprimos a tarefa de definir os principais contornos do evangelho cristão, não por fazermos um estudo de palavras, e sim por examinarmos o que os primeiros cristãos disseram sobre Jesus e a importância de sua vida, morte e ressurreição. Se considerarmos os sermões e os escritos dos apóstolos na Bíblia, veremos que eles nos explicam, às vezes de modo bastante breve ou às vezes com maior extensão, o que aprenderam do próprio Jesus sobre as boas--novas. Talvez, seremos também capazes de discernir algum conjunto comum de assuntos, alguma estrutura compartilhada de verdades em torno das quais os apóstolos e os primeiros cristãos formularam sua apresentação das boas-novas de Jesus.

O Evangelho em Romanos 1 a 4

Uma das melhores passagens em que podemos começar a procurar uma explicação básica do evangelho é a carta de Paulo à igreja em Roma. Talvez com maior clareza do que achamos em qualquer outro livro da Bíblia, a Epístola aos Romanos contém uma expressão deliberada e detalhada do que Paulo entendia ser as boas-novas.

De fato, Romanos não é tanto um *livro*, pelo menos de acordo com o que normalmente pensamos ser um livro. É uma carta, uma maneira de Paulo apresentar a si mesmo e a sua mensagem a um grupo de cristãos que ele não conhecia. Essa é a razão por que a epístola tem um pensamento sistemático, apresentado passo a passo. Paulo queria que esses cristãos soubessem a respeito dele, de seu ministério e, em especial, de sua mensagem. Desejava que eles soubessem que as boas-novas que ele pregava eram as mesmas em que haviam crido.

Paulo começou dizendo: "Não me envergonho do evangelho, porque é o poder de Deus para a salvação de todo aquele que crê" (Rm 1.16). A partir disso, especialmente nos primeiros quatro capítulos, Paulo explica as boas-novas sobre Jesus em detalhes maravilhosos. À medida que examinamos esses capítulos, vemos que Paulo estruturou sua apresentação do evangelho ao redor de poucas verdades essenciais, verdades que se mostram repetidas vezes na pregação do evangelho feita pelo apóstolo. Consideremos o progresso do pensamento de Paulo em Romanos 1 a 4.

Primeiramente, Paulo diz aos seus leitores que eles são responsáveis para com Deus. Depois de suas observações introdutórias em Romanos 1.1-7, Paulo começa sua apresentação do evangelho por declarar que "a ira de Deus se revela do céu" (v. 18). Com essas suas primeiras palavras, Paulo insiste em que a humanidade não é autônoma. Não criamos a nós mesmos e não somos autodependentes e responsáveis por nós mesmos. Não. Foi Deus quem criou o mundo e tudo que nele existe, inclusive nós . Visto que ele nos criou, Deus tem o direito de exigir que o adoremos. Veja o que Paulo disse no versículo 21: "Porquanto, tendo conhecimento de Deus, não o glorificaram como Deus, nem lhe deram graças; antes, se tornaram nulos em seus próprios raciocínios, obscurecendo-se-lhes o coração insensato".

Assim, Paulo acusa a raça humana: eles pecaram por não honrar e não dar graças a Deus. Como pessoas criadas que pertencem a Deus, temos a obrigação de dar-lhe a honra e a glória que lhe são devidas, de viver, falar, agir e pensar de um modo que admite e reconhece a autoridade de Deus sobre nós. Somos feitos por ele, pertencemos a ele, dependemos dele e, por isso, somos responsáveis para com ele. Esse é o primeiro ponto que Paulo se esforça para estabelecer, enquanto explica as boas-novas do Cristianismo.

Em segundo, Paulo diz aos seus leitores que o problema deles é que se rebelaram contra Deus. Eles – juntamente com todos os demais – não honraram a Deus e não lhe deram graças como deveriam. O seu coração insensato entenebreceu-se, e eles "mudaram a glória do Deus incorruptível em semelhança da imagem de homem corruptível, bem como de aves, quadrúpedes e répteis" (Rm 1.23). Isso é um quadro revoltante, não é? Os seres humanos considerarem o seu Criador e, depois, resolverem que uma imagem de metal ou de madeira de um sapo, ou de um pássaro, ou até *deles mesmos* é mais gloriosa, mais satisfatória e mais valiosa. Isso é o cúmulo do insulto e da rebeldia contra Deus. É a raiz e a essência do pecado, e seus resultados são terríveis.

Na maior parte dos três capítulos seguintes, Paulo enfatiza esse ponto, acusando a humanidade de serem pecadores contra Deus. No capítulo 1, o foco de Paulo é os gentios; no capítulo 2, Paulo volve o foco vigorosamente para os judeus. É como se Paulo soubesse que a maioria dos judeus cheios de justiça própria aplaudiriam as suas chicotadas nos gentios. Por isso, em Romanos 2.1, ele muda a direção e aponta sua acusação para aqueles que aplaudiram: "Portanto, és indesculpável, *ó homem*". Assim como os gentios, ele diz, os judeus transgrediram a lei de Deus e estão sob seu julgamento.

Em Romanos 3, Paulo acusou de rebelião contra Deus cada indivíduo que há no mundo. "Já temos demonstrado que todos, tanto judeus como gregos, estão debaixo do pecado" (v. 9). E sua conclusão solene é esta: quando estivermos diante de Deus, o Juiz, toda boca se calará. Ninguém formulará uma defesa. Nenhuma desculpa será apresentada. Todo o mundo – judeus e gentios, cada um de nós – será considerado plenamente responsável diante de Deus (v. 19).

Falando sinceramente, esses dois primeiros pontos não são realmente boas notícias. De fato, são *más* notícias. O fato de que me tenho rebelado contra o Deus santo, que julga, não é um pensamento feliz. Contudo, é um pensamento importante, porque prepara o caminho para as boas notícias. Só faz sentido se você o considera. Se alguém nos diz: "Venho salvar você!", isso não é boa notícia se você não crê realmente que precisa ser salvo.

Em terceiro, Paulo diz que a solução de Deus para o pecado da humanidade é a morte sacrificial e a ressurreição de Jesus Cristo. Tendo apresentado as más notícias da triste condição que enfrentamos como pecadores diante de nosso Deus justo, Paulo se volta às boas notícias, o *evangelho* de Jesus Cristo.

"Mas *agora*", diz Paulo, apesar de nosso pecado, "sem lei, se manifestou a justiça de Deus testemunhada pela lei e pelos profetas" (v. 21). Em outras palavras, há um meio de os seres humanos serem considerados justos diante de Deus, ao invés de injustos; de serem declarados inocentes, ao invés de culpados; de serem justificados, ao invés de condenados. E esse meio não é agir de modo correto ou viver uma vida mais justa. Ele se manifesta "sem lei".

Como isso acontece? Paulo responde com clareza em Romanos 3.24. Apesar de nossa rebelião contra Deus e em face de nossa situação desesperadora, podemos ser "justificados gratuitamente, por sua graça, mediante a redenção que há em Cristo Jesus". Por meio da morte sacrificial e da ressurreição de Cristo – por causa de seu sangue e sua vida – pecadores podem ser salvos da condenação que nossos pecados merecem.

No entanto, há mais uma pergunta que Paulo responde. Como, exatamente, essas boas notícias servem para mim? Como eu sou incluído nessa promessa de salvação?

Por último, Paulo diz aos seus leitores como eles mesmos podem ser incluídos nessa salvação. É sobre isso que ele escreve no final de Romanos 3, prosseguindo até ao capítulo 4.

A salvação que Deus proveu nos alcança "mediante a fé em Jesus Cristo", para todos "os que crêem" (3.22). Então, como essa salvação se torna boas-novas para *mim* e não somente para outra pessoa? Como chego a ser incluído na salvação? Por meio do crer em Jesus Cristo. , por confiar nele, e em ninguém mais, para salvar-me. "Ao que não trabalha, porém crê naquele que justifica o ímpio", Paulo explica, "a sua fé lhe é atribuída como justiça" (4.5).

Quatro Perguntas Cruciais

Agora, tendo examinado o argumento de Paulo em Romanos 1 a 4, podemos reconhecer que no âmago de sua proclamação do evangelho estão as respostas de quatro perguntas cruciais:

1. Quem nos fez e diante de quem somos responsáveis?
2. Qual é o nosso problema? Em outras palavras, estamos em dificuldades e por quê?

3. Qual é a solução de Deus para esse problema? O que ele fez para nos salvar de tal situação?
4. Como *eu* – eu mesmo, aqui e agora – posso ser incluído nessa salvação? O que essas boas-novas fazem para mim e não somente para outra pessoa?

Podemos resumir assim esses quatro pontos principais: Deus, o homem, Cristo e a resposta.

É claro que Paulo continua e revela muitas outras promessas que Deus fez para aqueles que são salvos em Cristo. E a maioria dessas promessas pode ser identificada, apropriadamente, como parte das boas-novas do Cristianismo, o evangelho de Jesus Cristo. Contudo, é crucial que entendamos, desde o início, que todas essas grandes promessas dependem e fluem disto: o âmago e a fonte das boas-novas cristãs. Essas promessas aplicam-se somente àqueles que são perdoados de seu pecado por meio da fé no Cristo crucificado e ressuscitado. Essa é a razão por que Paulo, ao apresentar o âmago do evangelho, começa neste ponto: estas verdades cruciais.

O Evangelho no Novo Testamento

Não é apenas Paulo que faz isso. Quando leio os escritos dos apóstolos no Novo Testamento, eu os vejo, repetidas vezes, respondendo a essas quatro perguntas. O que eles dizem são assuntos que parecem constituir o âmago de sua apresentação do evangelho. Os contextos mudam, os ângulos mudam, as palavras mudam e as abordagens mudam, mas os primeiros cristãos *sempre* tratavam, de algum modo ou em alguma medida, desses quatro assuntos: somos responsáveis diante de Deus, que nos criou; temos pecado contra Deus e seremos julgados; *mas* Deus agiu por meio de Cristo para salvar-nos; e apropriamo-nos dessa salvação por meio do arrependimento do pecado e pela fé em Jesus.

Deus. O homem. Cristo. A resposta.

Examinemos algumas outras passagens do Novo Testamento, nas quais o evangelho de Jesus é apresentado em resumo. Por exemplo, considere as palavras de Paulo em 1 Coríntios 15:

> Irmãos, venho lembrar-vos o evangelho que vos anunciei, o qual recebestes e no qual ainda perseverais; por ele também sois salvos, se retiverdes a palavra tal como vo-la preguei, a menos que tenhais crido em vão.
> Antes de tudo, vos entreguei o que também recebi: que Cristo morreu pelos nossos pecados, segundo as Escrituras, e que foi sepultado e ressuscitou ao terceiro dia, segundo as Escrituras. E apareceu a Cefas e, depois, aos doze (vv. 1-5).

Você vê a estrutura central nessa passagem? Paulo não é tão abrangente aqui como o foi em Romanos 1 a 4, mas os principais contornos estão claros. Nós, seres humanos, estamos com problemas, mergulhados em "nossos pecados" e em necessidade de sermos "salvos" (como é óbvio, embora implícito, do julgamento do Deus). Mas a salvação vem por meio disto: "Cristo morreu pelos nossos pecados... foi sepultado e ressuscitou". E podemos apropriar-nos de tudo isso por retermos "a palavra tal como vo-la preguei", por crermos verdadeiramente, e não crermos em vão. Vemos, então, nessa passagem, as verdades cruciais: Deus, o homem, Cristo, a resposta.

Até nos sermões registrados no livro de Atos dos Apóstolos, essa estrutura central do evangelho é clara. Quando Pedro falou às pessoas no dia de Pentecostes o que deviam fazer em resposta à sua proclamação da morte e da ressurreição de Jesus, ele disse: "Arrependei-vos, e cada um de vós seja batizado em nome de Jesus Cristo para remissão dos vossos pecados" (At 2.38). Outra vez, o apelo de Pedro não foi abrangente, o juízo de Deus estava implícito e as verdades cruciais estavam presentes no apelo. O problema: vocês precisam de que Deus perdoe seus pecados e não os julgue por causa deles. A solução: a morte e a ressurreição de Jesus Cristo, sobre as quais Pedro falara amplamente no sermão. A resposta necessária: o arrependimento e a fé, evidenciados pelo ato de batismo.

Em outro sermão de Pedro, essas quatro verdades cruciais estão evidentes outra vez:

> Mas Deus, assim, cumpriu o que dantes anunciara por boca de todos os profetas: que o seu Cristo havia de padecer. Arrependei-vos, pois, e convertei-vos para serem cancelados os vossos pecados.
>
> *At 3.18-19*

O problema: vocês precisam de que seus pecados sejam cancelados, e não julgados por Deus. A solução: Cristo padeceu. A resposta: arrependam-se e convertam-se a Deus, em fé.

Ou considere a pregação do evangelho que Pedro fez para Cornélio e sua família:

> E nós somos testemunhas de tudo o que ele fez na terra dos judeus e em Jerusalém; ao qual também tiraram a vida, pendurando-o no madeiro. A este ressuscitou Deus no terceiro dia... Dele todos os profetas dão testemunho de que, por meio de seu nome, todo aquele que nele crê recebe remissão de pecados.
>
> *At 10.39-43*

Perdão dos pecados. Por meio do nome do Crucificado e Ressuscitado. Para todos os que creem .

Paulo também pregou esse mesmo evangelho na ocasião descrita em Atos 13:

> Tomai, pois, irmãos, conhecimento de que se vos anuncia remissão de pecados por intermédio deste; e, por meio dele, todo o que crê é justificado de todas as coisas das quais vós não pudestes ser justificados pela lei de Moisés (vv. 38-39).

Novamente, a estrutura clara que podemos reconhecer é Deus, o homem, Cristo, a resposta. Vocês precisam de que Deus lhes dê "remissão de pecados". Isso acontece por meio de Jesus e acontece para "todo o que crê".

Explicando as Verdades Essenciais de Maneiras Diferentes

É óbvio que esta estrutura Deus-homem-Cristo-resposta não é uma fórmula servil. Quando proclamavam o evangelho, os apóstolos não ficavam checando os pontos do sermão como uma lista de itens a apresentar. Dependendo do contexto, do tempo de pregação e de quem estava incluído na audiência, eles explicavam esses quatro pontos em várias amplitudes. Às vezes, um ou mais desses pontos eram deixados implícitos e não apresentados explicitamente – em especial o fato de que Deus é aquele a quem temos de prestar contas e de quem necessitamos o dom do perdão. Mas esse é um fato que podia já estar gravado na mente dos judeus para os quais os apóstolos pregavam frequentemente.

Por outro lado, quando Paulo falou a um grupo de filósofos pagãos no Areópago, começou no primeiro assunto, o próprio Deus. O sermão de Paulo, registrado em Atos 17, é geralmente citado como um modelo de pregação do evangelho a uma cultura pagã. Mas há algo interessante e incomum nesse sermão. Examine-o com cuidado e você perceberá que Paulo não pregou realmente as boas-novas de Cristo. Ele pregou apenas as más novas!

Na realidade, ele começou dizendo: "Deixem-me falar-lhes sobre este Deus desconhecido para o qual vocês têm um altar". Em seguida, ele lhes explicou, conforme os versículos 24 a 28, que há um Deus, que esse Deus fez o mundo e chama os homens a adorá-lo. Depois de estabelecer isso, Paulo passou, conforme o versículo 29, a explicar o conceito de pecado e suas raízes na adoração de coisas criadas, em lugar de Deus, e declarou que Deus julgará seus ouvintes por meio do "varão que destinou e acreditou diante de todos, ressuscitando-o dentre os mortos" (v. 31).

Depois, Paulo parou a pregação! Examine-a com atenção. Não há nenhuma menção de perdão, nenhuma menção da cruz, nenhuma promessa de salvação – apenas a declaração das exigências de Deus e uma proclamação da ressurreição como prova do seu julgamento vindouro! Paulo nem mencionou o nome de Jesus!

O que aconteceu nessa ocasião? Paulo *não* pregou o evangelho? Bem, não exatamente. Não há evangelho, não há boas-novas em seu sermão público. As novas que Paulo proclamou são todas más. Mas veja os versículos 32 a 34, nos quais a Bíblia diz que os homens quiseram ouvir Paulo em outra ocasião e alguns deles creram. Aparentemente, Paulo pregou as *boas*-novas – os pecadores podem ser salvos desse julgamento vindouro – em algum momento posterior, talvez em público, talvez em particular.

Como os outros apóstolos, Paulo era perfeitamente capaz de apresentar de maneiras diferentes as verdades essenciais do evangelho. Mas a coisa importante que devemos entender é que *havia*, de fato, algumas verdades essenciais do evangelho; e dos sermões e das epístolas preservados para nós temos uma idéia muito boa sobre quais eram essas verdades – e quais são. Em Romanos, 1 Coríntios, nos sermões de Atos dos Apóstolos e em todo o Novo Testamento, os primeiros cristãos estruturaram sua declaração das boas-novas ao redor de algumas verdades cruciais.

O que é o Evangelho?

Primeiramente, as más notícias: Deus é nosso juiz, e temos pecado contra ele. Depois, o evangelho: Jesus morreu para que pecadores sejam perdoados de seus pecados, se eles se arrependerem e crerem nele.

Capítulo 2

Deus, o Criador Justo

Permita-me apresentá-lo a deus. (Observe o "d" minúsculo.) Talvez você queira abaixar a sua voz antes de entrarmos. Ele pode estar dormindo neste momento. Ele é velho, você sabe, e não entende muito ou não gosta muito deste mundo moderno e "exótico". Seus dias áureos – sobre os quais ele fala quando você consegue realmente motivá-lo – foram há muito tempo, antes da existência da maioria de nós. Eram os dias em que as pessoas se importavam com o que ele pensava sobre as coisas e o consideravam muito importante para suas vidas.

É claro que tudo isso mudou agora, e deus – coitadinho – nunca se ajustou muito bem. A vida avançou e o deixou para trás. Agora, ele gasta a maior parte de seu tempo pairando lá atrás, no quintal. Eu vou lá, algumas vezes, para vê-lo.

Lá nos demoramos, caminhando e conversando branda e amavelmente entre as rosas...

De algum modo, as pessoas ainda gostam dele, parece – ou, pelo menos, ele consegue manter bem elevados seus números de pesquisa de opinião. E você ficaria surpreso em saber quantas pessoas ainda aparecem de vez em quando para visitá-lo e pedir-lhe coisas. Mas, é claro, isso não o entristece. Ele existe para ajudar.

Ainda bem que todas as esquisitices sobre as quais você leu, às vezes, nos antigos livros dele – você sabe o que estou dizendo: a terra engolindo pessoas, chuva de fogo sobre cidades e coisas semelhantes – tudo isso parece que desapareceu em sua idade. Agora, ele é apenas um amigo legal, de pouca intimidade, com o qual é fácil alguém conversar – em especial, porque ele quase não fala de volta e, quando o faz, é geralmente para dizer-me, por meio de algum "sinal" estranho, que aquilo que desejo fazer está certo para ele. Esse é realmente o melhor tipo de amigo, não é?

E você sabe qual é melhor coisa sobre ele? Ele não me julga. Nunca, por nada. Sim, eu sei que, no seu íntimo, ele quer que eu seja melhor – mais amável, menos egoísta e coisas assim – mas ele é realista. Sabe que sou humano e que ninguém é perfeito. E tenho a plena certeza de que ele se contenta com isso. Perdoar as pessoas é o seu trabalho.

É o que ele *faz*. Afinal de contas, ele é amor, certo? E eu gosto de pensar no amor como "nunca julgar e somente perdoar". Esse é o deus que *eu* conheço. Não desejo tê-lo de qualquer outra maneira.

Bem, espere um momento... agora, podemos entrar. E não se preocupe, não temos de demorar muito. Realmente. Ele se sente grato por qualquer tempo que possa obter de nós.

Suposições sobre Deus

Ora, essa breve divagação é um tanto ridícula. Contudo, pergunto-me se ela não expressa o que muitas pessoas, até aquelas que se chamam cristãs, pensam sobre Deus. Para a maioria, Deus é um velhinho bastante amoroso, cordial, afável, levemente entorpecido e necessário, que deseja, mas não faz exigências, e pode ser ignorado sem consequências, se você não tem tempo para ele; é muito, muito, *muito* compreensivo do fato de que os seres humanos cometem erros – muito mais compreensível do que nós o somos.

No passado, era costume que até as pessoas não-cristãs possuíssem um entendimento básico do ensino bíblico sobre Deus e seu caráter. Isso fazia parte do ambiente em que as pessoas viviam; e – muito semelhantemente ao que os apóstolos faziam em relação aos seus compatriotas judeus – você poderia fazer algumas suposições sobre o que as pessoas sabiam quando lhes apresentava o evangelho.

Isso não é mais verdade, pelo menos na maior parte do mundo. Cresci numa pequena cidade no Leste do Texas. E, na maioria dos casos, anunciar o evangelho significava repetir uma mensagem que as pessoas já tinham ouvido milhares de vezes. Quando, porém, comecei a estudar na faculdade, em New Haven (Connecticut), aquele mundo era totalmente diferente. De repente, eu me via cercado por pessoas que não haviam sido criadas ouvindo a respeito de Deus e que, de fato, me desafiariam quanto ao assunto. Lembro-me da primeira vez em que encontrei alguém que aceitou a minha menção de Deus e disse: "Você deve estar brincando comigo. Você crê nisso?" E, depois, sorriu.

Isso se repetiu dezenas de vezes nos poucos anos seguintes, e, por fim, aprendi a dizer: sim, eu creio. Mas também aprendi, rapidamente, que eu não poderia fazer suposições a respeito do que as pessoas sabiam sobre Deus. Se eu quisesse proclamar o evangelho de Jesus Cristo, teria de começar bem no início – falando sobre o próprio Deus.

É claro que você não pode (e não deve!) gastar toda a sua vida estudando o que Deus nos revelou a respeito de si mesmo, assim como não precisa dizer tudo que sabe sobre Deus para que apresente com fidelidade o evangelho. Há, porém, algumas verdades básicas que uma pessoa *tem de* compreender para que assimile o que são as boas-novas do Cristianismo. Pense nelas como as boas notícias que estão por trás das más notícias que estão por trás das Boas-Novas!

Há duas verdades principais que temos de deixar claras bem no início: Deus é Criador; Deus é santo e justo.

Deus, o Criador

O começo da mensagem cristã – na realidade, o começo da Bíblia cristã – é: "Criou Deus os céus e a terra". Tudo começa a partir desse ponto. E, como uma flecha atirada de um arco mal direcionado, se você não entender bem esse ponto, tudo que vier depois será errado.

O livro de Gênesis inicia com a história de Deus criando o mundo: suas montanhas e vales, animais selváticos e peixes, pássaros e répteis, tudo. Deus criou também o resto do universo: estrelas e luz, planetas e galáxias. Tudo veio a existir por meio de sua palavra falada, e tudo veio à existência a partir do *nada*. Deus não tomou algum material preexistente e o moldou, como argila, em todos os tipos diferentes de coisas que vemos no mundo. Não! Gênesis nos diz que ele falou e as coisas passaram a existir. "Haja luz!", ele disse, e houve luz.

Muitas passagens bíblicas nos dizem como a criação dá testemunho da glória e do poder de Deus. Salmos 19.1 diz: "Os céus proclamam a glória de Deus, e o firmamento anuncia as obras das suas mãos". Em Romanos 1.20, Paulo diz que "os atributos invisíveis de Deus, assim o seu eterno poder, como também a sua própria divindade, claramente se reconhecem, desde o princípio do mundo, sendo percebidos por meio das coisas que foram criadas". Se você já ficou à beira de um cânion e viu os pássaros mergulhando abaixo de você e as nuvens se estendendo acima de sua cabeça, ou se já esteve em um campo e sentiu medo ao ouvir um trovão rolando no horizonte, você sabe o que isso significa. Há algo na grandeza da criação que fala ao coração humano dizendo: "Você não é tudo que existe!"

A história da criação, narrada em Gênesis, se expande em escopo e importância a cada novo dia. Primeiro, há a criação da luz; depois, do mar, da terra, da lua e do sol, dos pássaros, dos peixes, dos animais e, por último, no pináculo da obra criadora de Deus, do homem e da mulher.

> Também disse Deus: Façamos o homem à nossa imagem, conforme a nossa semelhança; tenha ele domínio sobre os peixes do mar, sobre as aves dos céus, sobre os animais domésticos, sobre toda a terra e sobre todos os répteis que rastejam pela terra.

> Criou Deus, pois, o homem à sua imagem, à imagem
> de Deus o criou; homem e mulher os criou.
>
> Gn 1.26-27

Não importando o que você pensa sobre a história da criação, as implicações desta afirmação – Deus criou o mundo e, em especial, Deus criou *você* – são enormes. O fato de que o mundo não é final, e sim de que teve sua origem na mente, palavra e mãos de *Outro Alguém* é uma idéia revolucionária, especialmente em nossos dias. Ao contrário do niilismo que domina maior parte do pensamento humano, isso significa que tudo no universo tem um propósito – incluindo os seres humanos. Não somos o resultado de mudança aleatória e mutações genéticas, de recombinação de genes e acidentes cromossômicos. Somos criados! Cada um de nós é o resultado de uma idéia, um plano, uma ação do próprio Deus. Isso traz significado e responsabilidade à vida humana (Gn 1.26-28).

Nenhum de nós é autônomo. Entender isso é a chave para compreendermos o evangelho. Apesar de nosso discurso constante sobre direitos e liberdade, não somos realmente tão livres como gostamos de pensar. Somos criados. Somos feitos. Portanto, não somos de nós mesmos.

Porque Deus nos criou, ele tem o direito de nos dizer

como devemos viver. Por isso, no jardim do Éden, ele disse a Adão e a Eva de que árvores eles podiam comer e de que árvore não podiam comer (Gn 2.16-17). Isso não significa que Deus age como uma criança que tem mania de autoridade e manda seu irmão menor para lá e para cá, dando ordens arbitrárias apenas para ver o que acontece. Não! A Bíblia nos mostra que Deus é bom. Ele sabia o que era melhor para seu povo e lhes deu leis que preservariam e aumentariam a sua felicidade e o seu bem-estar.

O reconhecimento disso é absolutamente necessário para que uma pessoa entenda as boas-novas do Cristianismo. O evangelho é a resposta de Deus às más notícias do pecado. E o pecado é a rejeição da pessoa para com os direitos que Deus, como Criador, tem sobre ela. Assim, a verdade fundamental da existência humana, a fonte da qual flui tudo mais, é que Deus nos criou e, portanto, tem direito sobre nós.

Deus, Justo e Santo

Se você tivesse de descrever o caráter de Deus em poucas palavras, o que diria? Que ele é amoroso e bom? Que ele é compassivo e perdoador? Tudo isso é verdade. Quando Moisés pediu a Deus que lhe mostrasse sua glória e lhe proclamasse seu nome, esta foi a resposta de Deus:

> Senhor, Senhor Deus compassivo, clemente e longânimo e grande em misericórdia e fidelidade; que guarda a misericórdia em mil gerações, que perdoa a iniquidade , a transgressão e o pecado.
>
> (Êx 34.6-7).

Como isso é admirável! Quando Deus quer nos falar sobre seu nome e revelar-nos sua glória – o que, na realidade, significa mostrar-nos seu próprio coração – o que ele diz? Que é amoroso e compassivo, tardio em irar-se e abundante em amor.

Entretanto, há algo mais nessa passagem que frequentemente ignoramos, algo que não é muito agradável. Você sabe o que Deus falou a Moisés logo depois de dizer-lhe que é compassivo e amoroso?

Ainda que não inocenta o culpado (v. 7).

Considere novamente essa afirmação, porque ela destrói 90% do que as pessoas contemporâneas *pensam* que sabem a respeito de Deus. O Deus compassivo e amoroso *não deixa impune o culpado*.

Uma opinião comum sobre Deus é que ele é semelhante a um zelador inescrupuloso. Em vez de limpar a sujeira do mundo – seu pecado, mal e impiedade – ele apenas varre a sujeira para debaixo do tapete, ignora-a e espera que ninguém veja. De fato, muitas pessoas não podem imaginar um Deus que faria alguma outra coisa. "Deus julga o pecado?", elas perguntam. "Ele me puniria por causa de minha impiedade? Ele não o faria. Isso não seria amável."

Veremos depois como a contradição aparentemente insolúvel que lemos em Êxodo 34.6-7 – um Deus "que perdoa a iniquidade, a transgressão e o pecado" e, apesar disso, "não inocenta o culpado" – é resolvida pela morte de Jesus na cruz. Mas, antes de chegarmos lá, precisamos entender que, a despeito dos protestos em contrário, o amor de Deus não anula a sua justiça e santidade.

A Escritura proclama repetidas vezes que nosso Deus é um Deus de justiça perfeita e santidade absoluta. Salmos 11.7 diz:

> Porque o Senhor é justo,
> ele ama a justiça.

O Salmo 33.5 declara: "Ele ama a justiça e o direito". E dois salmos vão mais além e proclamam: "Justiça e direito são o fundamento do teu trono" (Sl 89.14; 97.2). Você percebe o que esses versículos estão dizendo? Deus governa o universo, seu senhorio soberano sobre a criação fundamenta-se em que ele é, para sempre, perfeitamente justo e reto.

Essa é a razão por que a idéia de Deus como um zelador inescrupuloso é, em última análise, insatisfatória. Ele torna Deus injusto e corrupto. Torna-o um Deus que esconde o pecado – ou que se esconde *do* pecado – em vez de confrontá-lo e destruí-lo. Torna-o um covarde moral.

Quem deseja um Deus assim? Sempre é interessante observar o que acontece quando um mal inegável sobrevém a pessoas que insistem em afirmar que Deus nunca deveria julgá-*las*. Quando confrontadas com algum mal verdadeiramente horrível, *então* elas querem um Deus de justiça – e o querem *naquele momento*. Querem que Deus ignore o pecado delas, mas não o pecado do terrorista. "Perdoe-me", elas dizem, "mas não o perdoe!" Você percebe? As pessoas querem um Deus que ignore o mal *delas*.

No entanto, a Escritura nos diz que, por ser perfeitamente justo e reto, Deus punirá decisivamente todo mal. Habacuque 1.13 diz:

> Tu és tão puro de olhos, que não podes ver o mal
> e a opressão não podes contemplar.

Se Deus não punisse o mal, estaria negando o próprio fundamento de seu trono. Além disso, estaria renunciando o seu próprio Ser, e isso Deus não pode fazer.

Muitas pessoas não acham nenhuma dificuldade para pensar em Deus como amoroso e compassivo. Os cristãos têm feito um trabalho excelente de convencer o mundo de que Deus os ama. Mas, se temos de entender quão glorioso e doador de vida é o evangelho de Jesus Cristo, devemos entender que este Deus amoroso e compassivo é, também, santo e justo e está determinado a nunca esquecer, ignorar e tolerar o pecado. Incluindo o nosso próprio pecado. E isso, é claro, nos traz más notícias.

Capítulo 3

Homem, o Pecador

Outro dia, paguei uma multa de estacionamento. Foi fácil. Li a acusação contra mim, virei a notificação e marquei o quadro que dizia "sou culpado desta transgressão", preenchi o cheque de trinta e cinco dólares para o Departamento Metropolitano de Trânsito, selei o envelope e o mandei pelos correios.

Sou um criminoso culpado.

Por alguma razão, embora tenha marcado o quadro "culpado", não me sinto terrivelmente culpado. Não perderei o sono por ter andado no lado oposto à lei. Não sinto necessidade de pedir a perdão a alguém e agora, quando penso na multa, fico um pouco triste pelo fato de que a multa foi dez dólares a mais do que a anterior.

Por que não me senti mal por transgredir a lei? Suponho que foi porque, considerando a realidade da questão, transgredir uma lei de estacionamento não me abala como algo muito importante – ou abominável. Sim, na próxima vez eu me certificarei de colocar mais uma moeda no paquímetro, mas a minha consciência não é torturada por isso.

Uma coisa que tenho observado através dos anos é que a maioria das pessoas tende a pensar no pecado, especialmente o seu próprio pecado, como não mais do que uma infração de estacionamento. "É claro", nós pensamos, "o pecado é uma violação da lei estabelecida por Deus, mas, com certeza, temos de saber que há criminosos piores do que eu. Além disso, ninguém foi prejudicado, e estou disposto a pagar a multa. E, admitamos, não há necessidade de todo um profundo exame da alma a respeito de algo assim, há?"

Bem, acho que não, se você pensa no pecado de maneira fria. Mas, de acordo com a Bíblia, o pecado é muito mais do que uma simples violação de uma lei de tráfego, impessoal, arbitrária, celestial. É a quebra de um relacionamento e, ainda mais, é a rejeição do próprio Deus – um repúdio do governo de Deus, do cuidado de Deus, da autoridade de Deus e do seu direito de dar ordens àqueles a quem ele deu vida. Em resumo, é a rebelião da criatura contra o Criador.

O que Deu Errado

Quando Deus criou os seres humanos, sua intenção era que eles vivessem sob seu governo perfeito e justo, em alegria perfeita, adorando-o, obedecendo-lhe e, por meio disso, vivendo em comunhão permanente com ele. Como vimos no capítulo anterior, ele criou o homem e a mulher à sua própria imagem; e isso significa que eles deveriam ser como ele, estar em relacionamento com ele e declarar a sua glória ao mundo. Além disso, Deus tinha uma obra para os seres humanos fazerem. Eles deveriam ser vice-regentes de Deus, governando seu mundo sob a autoridade dele. Deus lhes disse: "Sede fecundos, multiplicai-vos, enchei a terra e sujeitai-a; dominai sobre os peixes do mar, sobre as aves dos céus e sobre todo animal que rasteja pela terra" (Gn 1.28).

O governo do homem e da mulher sobre a criação não era final. A autoridade não era deles mesmos; ela lhes fora dada por Deus. Enquanto exercessem domínio sobre o mundo, deveriam lembrar que eram sujeitos a Deus e estavam sob seu governo. Ele os criara e, portanto, tinha o direito de lhes dar ordens.

A árvore do conhecimento do bem e do mal, que Deus havia plantado no centro do jardim, era uma lembrança evidente desse fato (Gn 3.17). Quando Adão e Eva olhassem para aquela árvore e vissem aquele fruto, lembrariam que sua autoridade era limitada, que eram criaturas e dependiam de Deus quanto a suas vidas. Eram apenas mordomos. Ele era o rei.

Quando Adão e Eva comeram aquele fruto, não estavam apenas violando alguma ordem arbitrária: "Não comam o fruto". Estavam fazendo algo mais triste e mais sério. Estavam rejeitando a autoridade de Deus sobre eles e declarando sua independência de Deus. Adão e Eva queriam ser, como a serpente lhes prometeu, "como Deus", por isso ambos aproveitaram o que pensaram ser uma oportunidade de deixar a vice--regência e tomar posse da coroa. Em todo o universo, havia somente uma coisa que Deus não colocara sob os pés de Adão – Deus mesmo. Contudo, Adão decidiu que essa situação não era boa para ele e, por isso, se rebelou.

O pior de tudo é que, por desobedecer à ordem de Deus, Adão e Eva fizeram uma decisão consciente de rejeitá-lo como seu Rei. Eles sabiam quais seriam as consequências se lhe desobedecessem.

Deus lhes dissera em termos inequívocos que, se comessem do fruto, certamente morreriam. Isso significa, antes de tudo, que eles seriam expulsos da presença de Deus e se tornariam inimigos dele, em vez de amigos e súditos felizes (Gn 2.17). Mas eles não se importaram. Adão e Eva trocaram seu favor com Deus pela busca de seu próprio prazer e de sua própria glória.

A Bíblia chama de "pecado" essa desobediência aos mandamentos de Deus – ou em palavra, ou em pensamento, ou em atos. Literalmente, a palavra significa "errar o alvo", mas o significado bíblico de pecado é muito mais profundo. O que aconteceu não foi que Adão e Eva tentaram arduamente guardar o mandamento de Deus e apenas erraram o alvo por alguns graus. Não, o fato é que eles atiraram na direção oposta! Eles tinham alvos e desejos que eram categoricamente opostos ao que Deus desejava para eles e, por isso, pecaram. Violaram deliberadamente a ordem de Deus, romperam seu relacionamento com ele e rejeitaram-no como seu legítimo Senhor.

As consequências do pecado de Adão e Eva foram desastrosas para eles, para seus descendentes e para o resto da criação. Eles mesmos foram expulsos do jardim do Éden. A terra não mais lhes daria espontânea e alegremente os seus frutos e tesouros. Teriam de trabalhar com fadiga e sofrimento para obtê-los. E, o que é pior, Deus executou a sentença de morte sobre eles. É claro que eles não sofreram de imediato a morte física. Seus corpos continuaram a viver, seus pulmões, a respirar, seus corações, a bater, os seus membros, a se movimentar. Mas sua vida espiritual, a que é mais importante, terminou imediatamente. Sua comunhão com Deus foi interrompida e, assim, seu coração corrompeu-se, sua mente se encheu de pensamentos egoístas, seus olhos se escureceram para a beleza de Deus, e sua alma se tornou árida e estéril, totalmente destituída daquela vida espiritual que Deus lhes dera no princípio, quando tudo era bom.

Não Somente Eles, Mas Também Nós

A Bíblia nos diz que não somente Adão e Eva são culpados de pecado. Todos nós somos. Em Romanos 3.23, Paulo diz: "Todos pecaram e carecem da glória de Deus". E um poucos antes ele diz: "Não há justo, nem um sequer" (3.10). O evangelho de Jesus Cristo é cheio de pedras de tropeço, e essa é uma das maiores. Para corações humanos que pensam obstinadamente de si mesmos como bons e auto-suficientes, essa idéia de que os homens são fundamentalmente pecaminosos e rebeldes não é apenas escandalosa. É também revoltante.

Essa é a razão por que é tão absolutamente crucial que entendamos tanto a natureza como a profundeza de nosso pecado. Se nos aproximamos do evangelho pensando que o pecado é algo mais ou algo menos do que o que ele realmente é, entenderemos muito mal as boas novas a respeito de Jesus

Cristo. Permita-me oferecer-lhe alguns poucos exemplos de como os cristãos entendem mal o pecado.

Confundir o pecado com os efeitos do pecado

Está ficando comum apresentar o evangelho por dizer que Jesus salva a humanidade de um senso inato de culpa, ou de falta de significado, ou de falta de propósito, ou de falta de sentido. É claro que essas coisas são realmente problemas, e muitas pessoas as sentem profundamente. Mas a Bíblia ensina que o problema fundamental da humanidade – aquilo do que precisamos ser salvos – não é falta de significado, a desintegração de nossa vida ou mesmo um debilitante senso de culpa.

Essas coisas são apenas sintomas de um problema muito mais profundo: o nosso pecado. O que temos de entender é que a triste situação em que estamos é algo que nós mesmos produzimos. *Nós* temos desobedecido à Palavra de Deus. *Nós* temos ignorado os mandamentos de Deus. *Nós* temos pecado contra ele.

Falar sobre ser salvos da falta de significado ou da falta de propósito sem reconhecer que essas coisas têm sua origem no pecado pode tornar o remédio mais fácil de ser tomado, mas é o remédio errado. Isso permite que o ouvinte continue pensando em si mesmo como uma vítima e nunca encare o fato de que é um criminoso, injusto e merecedor de condenação.

Reduzir o Pecado a Relacionamento quebrado

Relacionamento é algo importante na Bíblia. Os seres humanos foram *criados* para viver em comunhão com Deus. Contudo, temos de lembrar que essa comunhão implicava que eles deviam viver num *tipo* específico de relacionamento – não era um relacionamento entre seres iguais, no qual a lei, o julgamento e a punição estavam ausentes; era um relacionamento entre um Rei e seus súditos.

Muitos cristãos falam sobre o pecado como se este fosse apenas uma contenda relacional entre Deus e o homem, e o que nós precisamos é apenas pedir e aceitar o perdão de Deus. Essa idéia de pecado como uma contenda entre amantes distorce o relacionamento que temos com Deus. Ela nos diz que não há quebra da lei, violação da justiça, ira justa, julgamento santo – e, portanto, em última análise, não há também qualquer necessidade de um substituto para receber nosso julgamento.

O ensino da Bíblia é que o pecado é realmente uma quebra do relacionamento com Deus, mas essa quebra consiste numa rejeição da majestade real de Deus. É não *somente* adultério (embora seja isso), mas também rebelião. É não *somente* infidelidade, mas também traição. Se reduzirmos o pecado à mera quebra de relacionamento de um súdito amado contra seu Rei justo e bondoso, nunca entenderemos por que a morte do Filho foi exigida para resolver o problema.

Confundir o pecado com pensamento negativo

Outro entendimento errôneo quanto ao pecado, evidencia-se ao dizer que o pecado é apenas uma questão de pensamento negativo. Vimos isso em algumas das citações apresentadas na introdução deste livro. Livre-se de seus odres velhos! Pense grande! Deus quer mostrar-lhe seu incrível favor, se você se livrar de todas aquelas mentalidades negativas que o retêm.

Ora, essa é uma mensagem estimulante para pessoas autoconfiantes que desejam crer que podem cuidar de seu pecado por si mesmas. Essa é, provavelmente, a razão por que os homens que proclamam esse tipo de mensagem têm conseguido constituir as maiores igrejas do mundo. A fórmula é bem fácil, realmente. Apenas diga às pessoas que o pecado delas não passa de pensamento negativo, e que isso as impede de ter saúde, riqueza e felicidade. Depois, diga-lhes que, se pensarem mais positivamente a respeito de si mesmas (com a ajuda de

Deus, é claro), elas se livrarão de seu pecado e ficarão ricas. Pronto! Logo teremos uma megaigreja!

Às vezes, o alvo prometido é dinheiro; às vezes, saúde; às vezes, algo totalmente diferente. Mas, não importando como você mude o alvo, dizer que Jesus Cristo morreu para salvar-nos de pensamentos negativos a respeito de nós mesmos é severamente antibíblico. De fato, a Bíblia ensina que grande parte de nosso problema é que pensamos de maneira *muito elevada* sobre nós mesmos, e não de maneira muito humilde. Pare e pense sobre isso por um momento. Como a serpente tentou Adão e Eva? A serpente lhes disse que estavam pensando muito negativamente a respeito de si mesmos. Ela lhes disse que precisavam pensar mais positivamente, ampliar sua compreensão, chegar ao seu pleno potencial, ser como Deus! Em resumo, a serpente lhes disse que deveriam pensar grande.

Ora, qual foi o resultado para eles?

Confundir o pecado com pecados

Existe uma grande diferença entre entender a si mesmo como culpado de pecados e reconhecer a si mesmo como culpado do *pecado*. A maioria das pessoas não têm dificuldade para admitir que têm cometido pecados (plural), pelo menos enquanto podem achar que esses pecados são pequenos erros isolados em uma vida relativamente boa – uma multa de estacionamento aqui e ali em uma ficha limpa.

Os pecados não nos chocam muito. Sabemos que eles acontecem, nós os vemos em nós mesmos e nos outros todos os dias, e ficamos bem acostumados com eles. O que é chocante para nós, é Deus mostrar-nos o *pecado* que permeia até as profundezas de nosso coração, os recessos profundos de impureza e corrupção que não sabíamos existir em nós e que nós mesmos jamais poderíamos limpar. É assim que a Bíblia fala sobre a profundeza e as trevas de nosso pecado – ele está *em* nós, é *nosso*, e não apenas está *sobre* nós.

No segundo andar do Museu Nacional de História Natural em Washington, há o que se diz ser a maior esfera perfeita de quartzo existente no mundo. A esfera é um pouco maior do que uma bola de basquete; e não há nenhum arranhão visível, nenhuma saliência, nenhuma rachadura em toda a esfera. É perfeita. As pessoas pensam frequentemente que a natureza humana é como essa esfera de quartzo. Sim, de vez em quando, podemos manchá-la com sujeira e lama, mas por baixo ela se mantém tão brilhante como sempre foi; e tudo que precisamos realmente fazer é limpá-la para restaurar seu brilho.

O quadro bíblico da natureza humana não é tão belo assim. De acordo com a Escritura, a esfera da natureza humana não é brilhante de modo algum. E a lama não está apenas cobrindo o lado de fora. Pelo contrário, estamos completamente atingidos pelo pecado. As fendas, a lama, a imundície, a corrupção atingem até o âmago. Como Paulo disse, somos, "por natureza, filhos da ira, como também os demais" (Ef 2.3). Estamos todos incluídos na culpa e corrupção de Adão (Rm 5). Jesus ensinou isto: "Porque do coração procedem maus desígnios, homicídios, adultérios, prostituição, furtos, falsos testemunhos, blasfêmias" (Mt 15.19). As palavras pecaminosas que você fala e os atos pecaminosos que pratica não são incidentes isolados. Procedem do mal que está em seu próprio coração.

Toda parte de nossa existência humana está corrompida pelo pecado e sob o seu poder. Nosso entendimento, nossa personalidade, nossos sentimentos e emoções, bem como a nossa vontade, estão todos escravizados ao pecado. Por isso, Paulo diz em Romanos 8.7: "O pendor da carne é inimizade contra Deus, pois não está sujeito à lei de Deus, nem mesmo pode estar". Que declaração chocante e apavorante! O domínio do pecado em nós é tão completo – nossa mente, entendimento e vontade – que vemos a glória e a bondade de Deus e, por desgosto, as rejeitamos *inevitavelmente*.

Não basta dizer que Jesus veio para salvar-nos de pecados, se o que queremos dizer com isso é que ele veio para salvar-nos de nossos erros isolados. Somente quando compreendemos que nossa própria natureza é pecaminosa – que somos, de fato, mortos em nossos "delitos e pecados" (Ef 2.1, 5), vemos quão boas são as novas de que há um meio de sermos salvos.

O Julgamento Ativo de Deus Contra o Pecado

Uma das afirmações mais amedrontadoras em toda a Bíblia é Romanos 3.19. Ela ocorre no final da acusação de Paulo de que toda humanidade – primeiro, os gentios; depois, os judeus – está debaixo do pecado e é completamente injusta diante de Deus. Eis o que Paulo disse como a grande conclusão do assunto: "Para que se cale toda boca, e todo o mundo seja culpável perante Deus".

Você pode imaginar o que isso significará? Comparecer diante de Deus e não ter explicações, apelos, desculpas, justificativas. A Bíblia é muito clara, como vimos no capítulo anterior, a respeito da verdade de que Deus é justo e santo e, portanto, não aceitará desculpas pelo pecado. Mas, o que significa para Deus lidar com o pecado, julgá-lo e puni-lo?

Romanos 6.23 diz: "O salário do pecado é a morte". Em outras palavras, o pagamento que merecemos por nosso pecado é morrer. Isso não é apenas a morte física. É a morte espiritual, uma separação inevitável entre o nosso ser pecaminoso e ímpio e a presença do Deus justo e santo. O profeta Isaías descreveu-a assim:

> As vossas iniqüidades fazem separação
> entre vós e o vosso Deus;
> e os vossos pecados encobrem o seu rosto de vós,
> para que vos não ouça.
>
> *Is 59.2*

Algumas vezes, pessoas falam sobre isso como se fosse a ausência passiva e quieta de Deus. Todavia, é muito mais do que isso. É o julgamento ativo de Deus contra o pecado, e a Bíblia diz que será terrível. Observe como o livro de Apocalipse descreve o que acontecerá no fim, no dia do justo e bom juízo de Deus. Os sete anjos derramarão "pela terra as sete taças da cólera de Deus" e "todas as tribos da terra se lamentarão sobre ele" (Ap 16.1; 1.7). Eles gritarão às montanhas e às rochas: "Caí sobre nós e escondei-nos da face daquele que se assenta no trono e da ira do Cordeiro, porque chegou o grande Dia da ira deles; e quem é que pode suster-se?" (Ap 6.16-17). Eles verão a Jesus, o Rei dos reis e Senhor dos senhores, e temerão porque ele pisará "o lagar do vinho do furor da ira do Deus Todo-Poderoso" (Ap 19.15).

A Bíblia ensina que o destino final para pecadores impenitentes e incrédulos é um lugar de tormento consciente e eterno chamado "inferno". Apocalipse descreve-o como um "lago de fogo e enxofre", e Jesus disse que é um lugar de "fogo inextinguível" (Ap 20.10; Mc 9.43).

Em vista da maneira como a Bíblia fala sobre o inferno e nos adverte quanto a ele, não entendo o impulso de alguns cristãos que parecem desejar explicá-lo de um modo que o faz parecer mais tolerável. Visto que o livro de Apocalipse fala de Jesus pisando o lagar do furor da ira do Deus Todo-Poderoso e o próprio Jesus adverte sobre o "fogo inextinguível... onde não lhes morre o verme, nem o fogo se apaga" (Mc 9.43, 48), minha pergunta incrédula é esta: *por que* um cristão tem o interesse de fazer que isso pareça *menos* horrível? *Por que, neste mundo*, desejamos confortar os pecadores com o pensamento de que o inferno talvez não seja mesmo tão ruim?

Não Inventamos Isso

As figuras que a Bíblia usa para falar-nos sobre o julgamento de Deus contra o pecado são realmente apavorantes. Não é surpreendente que o mundo leia as descrições bíblicas a respeito do inferno e chame os cristãos de "loucos" por acreditarem nelas.

Mas isso não é correto. Não inventamos, nós mesmos, essas idéias. Nós, cristãos, não lemos, cremos e falamos sobre o inferno porque, em alguma medida, gostamos do pensamento sobre o inferno. De modo nenhum. Falamos sobre o inferno porque cremos na Bíblia. Cremos nela quando nos diz que o inferno é real; e cremos com lágrimas quando ela nos diz que pessoas que amamos estão em perigo de passar a eternidade no inferno.

Esse é o veredito solene da Bíblia a nosso respeito. Não há nenhum justo, nem um sequer. E, por causa disso, um dia toda boca se fechará, toda língua se calará, e todo o mundo será considerado responsável diante de Deus.

Mas...

Capítulo 4

Jesus Cristo, o Salvador

Mas. Penso que essa é a palavra mais poderosa que um ser humano pode falar. Ela é pequena, mas tem o poder de abolir tudo que foi dito antes dela. Vindo logo depois de más notícias como as que acabamos de ler, essa palavra tem o poder de erguer os olhos e restaurar a esperança. Mais do que qualquer outra palavra que possa ser falada pela língua humana, ela tem a capacidade de mudar tudo.

- O avião caiu, *mas* ninguém ficou ferido.
- Você tem câncer, *mas* é facilmente tratável.
- Seu filho se envolveu num acidente de carro, *mas* ele está bem.

Infelizmente, algumas vezes o *mas* não aparece. A frase acaba, e tudo que recebemos são as más notícias. No entanto, esses momentos somente magnificam para nós as ocasiões em que o *mas* aparece. E são gloriosas.

Agradeça a Deus pelo fato de que as más notícias do pecado humano e do julgamento de Deus não são o fim da história. Se a Bíblia terminasse com a declaração paulina de que todo o mundo ficará em silêncio diante do trono de julgamento de Deus, não haveria nenhuma esperança para nós. Haveria somente desespero. Mas (aqui está ela novamente!) agradeça a Deus por que há algo mais.

Você é um pecador destinado à condenação. *Mas* Deus agiu para salvar pecadores como você!

Uma Mensagem de Esperança

Marcos começou seu relato da vida de Jesus com estas palavras: "Princípio do evangelho de Jesus Cristo, Filho de Deus". Desde o começo, Marcos e os outros cristãos primitivos sabiam que a vinda de Jesus Cristo era boas notícias de Deus para um mundo destruído e morto aos pés do pecado. Por consequência da horrorosa devastação do pecado, a vinda de Jesus foi o poderoso e estridente anúncio de Marcos no sentido de que tudo havia mudado.

Mesmo no jardim do Éden, Deus havia dado a Adão e Eva uma mensagem de esperança – algumas boas notícias em meio ao desespero deles. Não foi muito. Foi apenas uma dica, uma frase incluída no meio da sentença de Deus contra a serpente:

> Este te ferirá a cabeça,
> e tu lhe ferirás o calcanhar.
>
> *Gn 3.15*

Mas era alguma coisa. Deus queria que Adão e Eva soubessem, embora fossem rebeldes, que a história não tinha acabado. Ali houve um evangelho, algumas boas-novas em meio à catástrofe.

O resto da Bíblia nos conta a história de como essa pequena semente de boas-novas germinou, brotou e cresceu. Durante milhares de anos, Deus preparou o mundo por meio da lei e da profecia para o seu surpreendente *cálice de graça* contra a serpente, na vida, morte e ressurreição de Jesus Cristo. Quando tudo estivesse terminado, a culpa que Adão infligira a toda a sua raça seria derrotada, a morte que Deus pronunciara sobre a criação morreria, e o inferno seria vencido. A Bíblia conta a história da ofensiva de Deus contra o pecado. Ela é a grande narrativa de como Deus resolveu a situação, como ele a está resolvendo e como um dia ele a resolverá definitivamente, para sempre.

Totalmente Deus, Totalmente Homem

Todos os escritores dos evangelhos começam seu relato da vida de Jesus mostrando que ele não era um homem comum. Mateus e Lucas contam a história de um anjo que veio e falou com uma jovem virgem, chamada Maria, dizendo-lhe que ela teria um filho. Incrédula para com essa notícia, Maria perguntou: "Como será isto, pois não tenho relação com homem algum?" O anjo explicou: "Descerá sobre ti o Espírito Santo, e o poder do Altíssimo te envolverá com a sua sombra; por isso, também o ente santo que há de nascer será chamado Filho de Deus" (Lc 1.34-35). João começou sua narrativa com uma afirmação ainda mais impressionante: "No princípio [palavras que indicam fortemente Gênesis 1.1] era o Verbo, e o Verbo estava com Deus, e o Verbo era Deus... E o Verbo se fez carne e habitou entre nós" (Jo 1.1, 14).

Tudo isso – o nascimento de Jesus de uma virgem, o título "Filho de Deus", a afirmação de João de que "o Verbo era Deus", juntamente com seu anúncio de que "o Verbo se fez carne" – tem o propósito de nos ensinar quem é Jesus.

Em palavras simples, a Bíblia nos ensina que Jesus é totalmente homem e totalmente Deus. Esse é um ensino crucial que devemos entender a respeito dele, pois é somente o Filho de Deus totalmente humano e totalmente divino que pode salvar-nos.

Se Jesus fosse apenas outro homem – como nós em todos os aspectos, incluindo nosso pecado e nosso estado caído – ele seria incapaz de salvar-nos, como qualquer outro homem. Contudo, visto que Jesus é o Filho de Deus, sem pecado e igual a Deus, o Pai, em todas as perfeições divinas, ele pode vencer a morte e nos salvar de nosso pecado. De modo semelhante, também é crucial que Jesus seja verdadeiramente um de nós – ou seja, totalmente humano – para que possa representar-nos apropriadamente diante de seu Pai. Como explica Hebreus 4.15, Jesus é capaz de "compadecer-se das nossas fraquezas", porque foi "tentado em todas as coisas, à nossa semelhança, mas sem pecado".

O Messias-Rei. Aqui!

Quando Jesus começou seu ministério, ele proclamava uma mensagem fantástica: "O reino de Deus está próximo; arrependei-vos e crede no evangelho".

A notícia sobre este homem pregando que o reino de Deus chegara se espalhou rapidamente por todo o país, e multidões entusiasmadas logo cercaram a Jesus para ouvir as boas notícias ("o evangelho") que ele proclamava. O que era tão entusiasmante nessas notícias?

Durante séculos, por meio de sua lei e de seus profetas, Deus havia predito um tempo em que ele acabaria, de uma vez por todas, com o mal do mundo e resgataria seu povo dos pecados deles. Deus baniria toda resistência e estabeleceria seu governo, seu "reino" sobre toda a terra. Além disso, Deus prometera que estabeleceria seu reino na pessoa de um Rei messiânico, da linhagem do grande rei Davi. Em 2 Samuel 7.11, Deus prometeu a Davi que um de seus filhos reinaria em seu trono para sempre. E o profeta Isaías disse sobre esse filho real:

> O seu nome será: Maravilhoso Conselheiro, Deus Forte, Pai da Eternidade, Príncipe da Paz; para que se aumente o seu governo, e venha paz sem fim sobre o trono de Davi e sobre o seu reino, para o estabelecer e o firmar mediante o juízo e a justiça, desde agora e para sempre.
>
> Is 9.6-7

Então, você pode imaginar o entusiasmo com que Jesus foi recebido quando começou a anunciar que o reino dos céus havia chegado. Isso significava que o Messias esperado por muito tempo estava ali!

Os escritores dos evangelhos insistem em que esse Rei davídico não é outro, senão o próprio Jesus. Lucas registrou as palavras do anjo que anunciou a Maria o nascimento de Jesus:

> Este será grande e será chamado Filho do Altíssimo;
> Deus, o Senhor, lhe dará o trono de Davi, seu pai;
> ele reinará para sempre sobre a casa de Jacó, e o seu reinado não terá fim
>
> Lc 1.32-33

Mateus começou seu evangelho com uma genealogia que traça a ascendência de Jesus até ao rei Davi e, depois, a Abraão. Fascinantemente, Mateus estiliza a genealogia de Jesus dividindo-a em três gerações de catorze famílias. E catorze, como qualquer bom judeu saberia, era o número obtido pela soma dos valores das três letras hebraicas D-V-D, que formavam o nome Davi. Mateus, assim como os outros cristãos, quase grita ao começar sua história sobre Jesus: "Rei! Rei! Rei!"

Boas-Novas Inesperadas
Você Pode Incluir-se Nelas

O Novo Testamento nos conta a história de como o Rei Jesus inaugurou o reino de Deus na terra e começou a reverter o curso do pecado. O reino que Jesus inaugurou não parecia, de modo algum, com o que os judeus esperavam ou desejavam. Eles queriam um messias que estabeleceria um reino terreno e político que destruiria e suplantaria o Império Romano, o poder governante na época. No entanto, ali estava Jesus não procurando uma coroa terrena, e sim pregando, ensinando, curando enfermos, perdoando pecado, ressuscitando mortos e dizendo ao governador romano, em termos claros: "O meu reino não é deste mundo" (Jo 18.36).

Isso não significa que o reino de Jesus *nunca* seria deste mundo. Pouco antes, Jesus tinha dito ao sumo sacerdote: "Vereis o Filho do Homem assentado à direita do Todo-Poderoso e vindo com as nuvens do céu" (Mc 14.62). Em Apocalipse 21, lemos sobre Jesus reinando em novos céus e uma nova terra, transformados radicalmente por seu poder e libertos da escravidão ao pecado.

Ora, tudo isso é, inegavelmente, boas-novas, se você puder incluir-se nelas. Mas, somos trazidos de volta ao problema de nosso pecado, não somos? A menos que algo aconteça para remover a culpa de nossa desobediência e rebelião contra Deus, ainda estamos separados dele e destinados não às alegrias dos novos céus e da nova terra, e sim à eterna punição do inferno.

Entretanto, é nesse ponto que as boas-novas do Cristianismo se tornam realmente, realmente boas. O Rei Jesus veio não somente para inaugurar o reino de Deus, mas também para trazer os pecadores ao reino, por morrer no lugar deles, em favor dos pecados deles, tomando sobre si mesmo a punição deles e garantindo o perdão para eles; tornando-os justos diante de Deus e qualificando-os para compartilharem da herança do reino (Cl 1.12).

Um Rei Sofredor?

"Eis o Cordeiro de Deus, que tira o pecado do mundo!". Foi isso que João Batista, o profeta que usava veste de pêlos de camelo e comia gafanhotos, disse, quando viu Jesus se aproximando dele (Jo 1.29). O que João Batista estava querendo dizer? O Cordeiro de Deus? Tirar o pecado do mundo?

Todo judeu do século I saberia imediatamente o que João queria dizer com a expressão "o Cordeiro de Deus, que tira o pecado do mundo". Era uma referência à festa judaica da Páscoa, um memorial da miraculosa libertação dos israelitas da servidão ao Egito, realizada por Deus 1.500 anos antes.

Como o julgamento contra os egípcios, Deus lhes enviara dez pragas. E na ocorrência de cada praga, o rei no Egito endurecia o seu coração e recusava deixar o povo ir embora. A última das pragas foi a mais terrível de todas. Deus falou aos israelitas que em uma noite designada, o anjo da morte passaria por toda a terra do Egito e mataria todo primogênito dos homens e dos animais no país. Esse julgamento horrível também incluiria os israelitas – a menos que eles obedecessem cuidadosamente às instruções de Deus. Cada família, Deus lhes disse, deveria tomar um cordeiro sem qualquer defeito ou mancha e matá-lo. Depois, usando um ramo de hissopo, deveriam colocar uma parte do sangue ao redor da ombreira de sua casa. Então, Deus prometeu, quando o anjo da morte visse o sangue, passaria por sobre aquela casa e a pouparia do juízo de morte.

A festa da Páscoa – e, em especial, o cordeiro de Páscoa – se tornou um símbolo poderoso da idéia de que a penalidade de morte pelos pecados de alguém poderia ser paga pela morte de outra pessoa. Essa idéia de "substituição penal" alicerçava todo o sistema de sacrifícios do Antigo Testamento. No Dia da Expiação anual, o sacerdote ia até ao centro do templo, conhecido como o Lugar Santíssimo, e matava um animal sem manchas como pagamento pelos pecados do povo. Ano após ano, a penalidade pelos pecados do povo era suspendida novamente pelo sangue de um cordeiro.

Levou algum tempo, mas, finalmente, os seguidores de Jesus compreenderam que a missão dele não era apenas inaugurar o reino de Deus, mas fazer isso por meio do morrer como sacrifício vicário em favor de seu povo. Jesus não era apenas Rei, eles compreenderam. Ele era o Rei sofredor.

O próprio Jesus sabia desde o início que sua missão consistia em morrer pelos pecados de seu povo. O anjo havia anunciado no nascimento de Jesus: "Ele salvará o seu povo dos pecados deles" (Mt 1.21). E Lucas nos diz que, "ao se completarem os dias em que deveria ele ser assunto ao céu, manifestou, no semblante, a intrépida resolução de ir para Jerusalém" (Lc 9.51). Nos evangelhos, Jesus predisse diversas vezes a sua morte. E, quando Pedro tentou, insensatamente, se colocar no caminho dele, Jesus o repreendeu, dizendo: "Arreda, Satanás! Tu és para mim pedra de tropeço" (Mt 16.23). Jesus estava determinado a ir para Jerusalém e, portanto, para a sua morte.

Jesus também entendia o significado e o propósito de sua morte. Ele disse: "O próprio Filho do Homem não veio para ser servido, mas para servir e dar a sua vida em resgate por muitos" (Mc 10.45). E, quando compartilhava a última ceia com seus discípulos, no cenáculo, Jesus tomou o cálice de vinho e declarou: "Bebei dele todos; porque isto é o meu sangue, o sangue da nova aliança, derramado em favor de muitos, para remissão de pecados" (Mt 26.27-28). Em outra ocasião, ele disse: "Dou a minha vida pelas ovelhas... Ninguém a tira de mim; pelo contrário, eu espontaneamente a dou" (Jo 10.15, 18). Jesus sabia por que morreria. Por amor ao seu povo, ele deu espontaneamente a sua vida; o Cordeiro de Deus morreu para que seu povo fosse perdoado.

Ensinados pelo Espírito Santo, os primeiros cristãos também entenderam o que Jesus realizara na cruz. Paulo o descreveu assim: "Cristo nos resgatou da maldição da lei, fazendo-se ele próprio maldição em nosso lugar" (Gl 3.13-14). E, noutra epístola, Paulo explicou: "Aquele que não conheceu pecado, ele o fez pecado por nós; para que, nele, fôssemos feitos justiça de Deus" (2 Co 5.21). Pedro escreveu: "Cristo morreu, uma única vez, pelos pecados, o justo pelos injustos, para conduzir-vos a Deus" (1 Pe 3.18); e: "Carregando ele mesmo em seu corpo, sobre o madeiro, os nossos pecados, para que nós, mortos para os pecados, vivamos para a justiça; por suas chagas, fostes sarados" (1 Pe 2.24).

Você percebe o que esses cristãos estavam dizendo sobre a importância da morte de Jesus? Estavam dizendo que, ao morrer, Jesus não sofreu a punição por seus próprios pecados (Ele não tinha pecado!). Ele sofreu a punição pelos pecados do seu povo. Quando esteve pendurado na cruz, no Calvário, Jesus suportou todo o horrível peso do pecado do povo de Deus. Toda a rebelião deles, toda a desobediência deles, todo o pecado deles caiu nos ombros de Jesus. E a maldição que Deus havia pronunciado no Éden – a sentença de morte – foi executada.

Foi por isso que Jesus clamou em agonia: "Deus meu, Deus meu, por que me desamparaste?" (Mt 27.46). Deus, o seu Pai, que é santo e justo, cujos olhos são tão puros que não podem ver o mal, olhou para seu Filho, viu sobre ele os pecados de seu povo, afastou-se em desgosto e derramou sua ira sobre seu próprio Filho. Mateus escreveu que trevas encobriram a terra por quase três horas, enquanto Jesus esteve pendurado na cruz. Eram as trevas de julgamento, o peso da ira do Pai caindo em Jesus, enquanto ele levava os pecados de seu povo e morria em lugar deles.

Isaías tinha profetizado sobre isso sete séculos antes:

> Certamente, ele tomou sobre si as nossas enfermidades e as nossas dores levou sobre si; e nós o reputávamos por aflito, ferido de Deus e oprimido. Mas ele foi traspassado pelas nossas transgressões e moído pelas nossas iniqüidades; o castigo que nos traz a paz estava sobre ele, e pelas suas pisaduras fomos sarados
>
> *Is 53.4-5*

Você compreende o significado disso? Em última análise, isso significa que *eu sou* aquele que deveria ter morrido, e não Jesus. Eu deveria ter sido punido, e não ele. Apesar disso, ele tomou o meu lugar e morreu por mim.

As transgressões eram minhas, mas os sofrimentos dele. As iniquidades eram minhas, mas a punição, dele. O pecado era meu, mas a agonia dele. E a punição dele trouxe-me paz. Suas feridas ganharam minha cura. Sua tristeza, minha alegria. Sua morte, minha vida.

O Âmago do Evangelho

Infelizmente, essa doutrina da substituição talvez seja uma parte do evangelho cristão que o mundo mais odeia. As pessoas não gostam da idéia de que Jesus foi punido pelos pecados de outras pessoas. Alguns autores têm chamado isso de "abuso infantil divino". No entanto, descartar a expiação vicária é lançar fora o âmago do evangelho. Sendo mais exato, na Escritura há muitas figuras do que Cristo fez em sua morte: exemplo, reconciliação e vitória, citando apenas três. Mas, por trás de todas elas, está a realidade para a qual todas as outras figuras apontam – a substituição penal. Você não pode deixá-la de fora, não pode menosprezá-la em favor das outras figuras, pois, do contrário, você obscurece o panorama das Escrituras com perguntas sem respostas. Por que os sacrifícios? O que o derramamento de sangue realizava? Como Deus pode ter misericórdia de pecadores sem destruir sua justiça? O que significa o fato de que Deus perdoa a iniquidade, a transgressão e o pecado, mas não inocenta, de modo algum, o culpado (Êx 34.7)? Como um Deus santo e justo pode justificar o ímpio (Rm 4.5)?

A resposta para todas essas perguntas se acha na cruz de Cristo, na sua morte vicária em favor de seu povo. Um Deus justo e santo pode justificar o ímpio porque na morte de Jesus a misericórdia e a justiça foram perfeitamente conciliadas. A maldição foi executada com justiça, e fomos salvos por misericórdia.

Ele Ressuscitou

É claro que tudo isso é verdadeiro, e boas-novas, somente porque o Rei Jesus, o crucificado, não está morto. Ele ressuscitou dos mortos. Todas as dúvidas que afligiram os discípulos quando Jesus morreu foram dissipadas num momento, quando o anjo disse às mulheres: "Por que buscais entre os mortos ao que vive? Ele não está aqui, mas ressuscitou" (Lc 24.5-6).

Se Cristo tivesse permanecido morto, como qualquer outro "salvador", "mestre" ou "profeta", sua morte teria sido semelhante a qualquer outra morte. As ondas da morte o teriam encerrado, como o faz a todo ser humano; toda afirmação que ele fizera, teria dado em nada, e a humanidade ainda estaria sem esperança de ser salva do pecado. Mas, quando o ar penetrou seus pulmões ressurretos novamente, quando a vida da ressurreição energizou seu corpo glorificado, tudo que Jesus dissera foi confirmado plena, final, inquestionável e irrevogavelmente.

Em Romanos, Paulo exultou pela ressurreição de Jesus e pelo que ela significa para os crentes:

> Quem intentará acusação contra os eleitos de Deus? É Deus quem os justifica. Quem os condenará? É Cristo Jesus quem morreu ou, antes, quem ressuscitou, o qual está à direita de Deus e também intercede por nós
>
> *Rm 8.33-34*

Que pensamento maravilhoso – o homem Jesus está agora assentado em esplendor à direita de seu Pai, no céu, reinando como Rei do universo! E não somente isso: ele está agora mesmo intercedendo por seu povo, enquanto esperamos seu retorno final e glorioso.

Entretanto, tudo isso levanta mais uma pergunta, não? Quem é o povo de Jesus?

Capítulo 5

Resposta – Fé e Arrependimento

Comecei a ensinar meu filho a nadar bem cedo. Foi uma tarefa árdua. Tendo um ano ou mais de idade, o rapazinho não gostava de ter água em seu rosto quando estava na banheira e, muito menos, no imenso oceano de uma piscina que ele agora encarava. A princípio, "ensiná-lo a nadar" significou fazê-lo bater a água com os pés, enquanto ficava no último degrau da piscina e, talvez, pôr os lábios na água para fazer algumas bolhas, por acaso ele estivesse realmente corajoso.

Por fim, eu o convenci a rodear comigo a parte mais rasa da piscina, agarrado fortemente ao meu pescoço, é claro. Uma vez que ele aceitou a proposta, era hora do grande show – pular da beira da piscina. Cumprindo meu dever paterno, dado por Deus, eu o levantei, o coloquei de pé na beira da piscina e disse: vamos, pule!

Acho que, naquele momento, meu filho de um ano, me considerou um louco. A aparência de sua face, em dois segundos, passou de confusão a entendimento infantil, a rejeição divertida, a desprezo sincero. Ele fez carranca e disse: "Não. Vou para a mamãe". De novo, agindo fielmente em minha responsabilidade solene como pai, recusei desistir, peguei-o e, por fim, convenci-o (com vários subornos) a voltar à piscina. E chegou o momento da verdade.

Pulei novamente na água, fiquei em frente dele, com os braços estendidos, esperando-o lançar-se para o alto e cair, com suas fraldas, para piscina, como o fazem crianças de um ano de idade, quando parecem querer pular, mas não pulam. "Venha, filhinho", eu disse, "estou bem aqui. Eu pegarei você, prometo!". Ele olhou para mim, meio incrédulo, fez mais uma pequena brincadeira, balançando nos joelhos, e caiu na piscina, com o que pareceu mais um tombo do que um pulo.

Eu o peguei.

Depois disso, passamos a nos divertir. "De novo, papai! De novo!" E, assim, começamos meia hora de pular, pegar, erguer, preparar, pular, pegar, erguer, preparar.

Quando terminamos, minha esposa e eu começamos a nos preocupar com o fato de que nosso filho tinha ficado *muito* tranquilo em relação à água. O que aconteceria se ele viesse à piscina quando ninguém estivesse ali com ele? Será que ele se lembraria de todas as vezes que tinha pulado com segurança na água e decidiria que já dominava esse negócio de piscina? Ele pularia de novo?

Nos próximos dias, nós o observamos ao redor da piscina, e o que vimos me confortou e me comoveu profundamente como pai. Nunca mais o nosso pequeno rapaz pensou em pular na água – pelo menos, não enquanto eu não estivesse abaixo dele, na piscina, com os braços abertos, prometendo pegá-lo. Então, ele pularia!

Apesar desse sucesso aparente, a confiança de meu filho não estava em sua própria capacidade de lidar com a água. Estava em seu pai e na promessa dele: "Venha filhinho. Pule. Eu prometo que pegarei você".

Apresentando a Fé e o Arrependimento

Marcos nos diz que Jesus começou seu ministério pregando: "O tempo está cumprido, e o reino de Deus está próximo; arrependei-vos e crede no evangelho" (Mc 1.15). Estas ordens – arrependei-vos e crede – são o que Deus exige de nós em resposta às boas-novas de Jesus.

Em todo o Novo Testamento, vemos que os apóstolos exortavam as pessoas a fazerem isso. Jesus chamou seus ouvintes a arrependerem-se e crerem no evangelho. Pedro, no final de seu sermão, no dia de Pentecostes, disse às pessoas: "Arrependei-vos, e cada um de vós seja batizado em nome de Jesus Cristo" (At 2.38).[1] Conforme lemos em Atos 20.21, Paulo explicou seu ministério dizendo que havia testificado "tanto a judeus como a gregos o arrependimento para com Deus e a fé em nosso Senhor Jesus". E, como lemos em Atos 26.18, ele narrou como Jesus o enviara

> para lhes abrires os olhos e os converteres das trevas para a luz e da potestade de Satanás para Deus, a fim de que recebam eles remissão de pecados e herança entre os que são santificados pela fé em mim.

Fé e arrependimento. Isso é o que caracteriza aqueles que são o povo de Cristo, ou seja, os "cristãos". Em outras palavras, um cristão é uma pessoa que se converte de seu pecado e confia no Senhor Jesus Cristo – e nada mais – para salvá-lo do pecado e do julgamento vindouro.

Fé é Dependência

Fé é uma das palavras que, por muito tempo, tem sido tão mal usada, que a maioria das pessoas não tem ideia do que ela

---

[1] Ser batizado em nome de Jesus é uma expressão de fé nele.

realmente significa. Peça a alguma pessoa na rua que descreva a fé, e, embora talvez você ouça algumas palavras respeitosas e agradáveis, o âmago da questão será, provavelmente, que fé é crer no ridículo em contrário a toda evidência.

Um dia, assisti na televisão, com meus dois filhos mais velhos, ao Desfile do Dia de Ação de Graças da rede de lojas Macy's. O tema do evento era "Creia!", e o ponto focal, suspenso acima do palanque, era o que os âncoras estavam chamando de Creiômetro. Toda vez que um novo carro alegórico passava, a banda tocava ou os dançarinos executavam danças em trajes de elfos, o ponteiro do creiômetro subia um pouco mais. Evidentemente, o momento sublime do desfile aconteceu quando Papai Noel surgiu - dirigindo ele mesmo seu trenó construído, inexplicavelmente, na forma de um ganso majestoso – e o creiômetro ficou maluco! Com aquela música, aquelas danças, os confetes, as crianças gritando – e adultos gritando –, um visitante estranho teria concluído, com certeza, que as pessoas da Virgínia *creem* realmente nisso.

Meu filho de seis anos achou tudo aquilo espalhafatosamente tolo.

Entretanto, isso é o que o mundo pensa sobre fé. A fé é uma charada, um jogo divertido e confortante no qual as pessoas têm liberdade de se envolver, se quiserem, mas sem qualquer conexão genuína com o mundo atual. As crianças creem em Papai Noel e no coelho de Páscoa. Os místicos creem no poder de pedras e cristais. Pessoas loucas creem em fadas. E os cristãos, bem, eles creem em Jesus.

Leia a Bíblia e você descobrirá que a fé não é nada disso. A fé não é crer em algo que você não pode provar, como muitas pessoas a definem. Conforme o ensino bíblico, a fé é *dependência*. É uma *confiança* firme e inabalável, alicerçada na verdade e fundamentada na promessa do Jesus ressuscitado de nos salvar do pecado.

Paulo nos fala sobre a natureza da fé em Romanos 4, em seu discurso sobre Abraão. É assim que Paulo descreve a fé de Abraão:

> Abraão, esperando contra a esperança, creu, para vir a ser pai de muitas nações, segundo lhe fora dito: Assim será a tua descendência. E, sem enfraquecer na fé, embora levasse em conta o seu próprio corpo amortecido, sendo já de cem anos, e a idade avançada de Sara, não duvidou, por incredulidade, da promessa de Deus; mas, pela fé, se fortaleceu, dando glória a Deus, estando plenamente convicto de que ele era poderoso para cumprir o que prometera.
>
> Rm 4.18-21

Apesar de tudo que era contrário à promessa de Deus – a idade de Abraão, a esterilidade e a idade de sua esposa – Abraão creu no que Deus havia dito. Ele confiou em Deus sem vacilar e creu nele para realizar o que prometera. A fé de Abraão não era perfeita, é claro; o nascimento de Ismael prova que, a princípio, Abraão tentou depender de seus métodos para cumprir as promessas de Deus. Mas, havendo-se arrependido desse pecado, Abraão pôs sua fé em Deus. Ele confiou em Deus, como Paulo diz, "estando plenamente convicto de que ele era poderoso para cumprir o que prometera".

O evangelho de Jesus Cristo nos chama a fazer o mesmo que Abraão fez – pôr nossa fé em Jesus, depender dele e confiar nele para que faça o que prometeu fazer.

Fé para Obter um Veredito de Justo

Mas, para o que exatamente dependemos de Jesus? Em palavras simples, dependemos dele para nos garantir um veredito de justo da parte de Deus, o Juiz, e não um veredito de culpado.

Deixe-me explicar. A Bíblia ensina que a maior necessidade de todo ser humano é ser considerado justo aos olhos de Deus, e não ímpio. Quando o julgamento vem, precisamos desesperadamente de que o veredito pronunciado a nosso respeito seja "justo", e não "condenado". Isso é o que a Bíblia chama de "ser justificado" – é a declaração de Deus de que somos justos aos seus olhos, e não culpados.

E como obtemos esse veredito de justo? A Bíblia nos diz com clareza que não é por pedirmos a Deus que leve em conta a nossa própria vida. Não! Isso seria tolice. Se Deus há de nos declarar justos, ele terá de fazer isso com base em outra coisa, e não em nossa ficha pecaminosa. Ele terá de fazer isso com base na ficha de *Outra Pessoa*, alguém que permanece como substituto por nós. É nesse ponto que a fé se introduz. Quando colocamos nossa fé em Jesus, estamos dependendo dele para ser nosso substituto diante de Deus, tanto em sua vida perfeita como em sua morte que pagou a penalidade na cruz em nosso favor. Em outras palavras, estamos crendo que Deus substituirá a nossa ficha pela de Jesus e, por isso, nos declarará justos (Rm 3.22).

Você pode pensar assim: quando cremos em Jesus para salvar-nos, nos tornamos unidos com ele, e uma troca magnifica acontece. Todo o nosso pecado, rebelião e impiedade foi imputada (ou creditada) a Jesus, e ele morreu por isso (1 Pe 3.18). E, ao mesmo tempo, a vida perfeita que Jesus viveu é imputada a nós, e somos declarados justos. Deus olha para nós e, em vez de ver o nosso pecado, ele vê a justiça de Jesus.

Foi isso que Paulo quis dizer ao escrever, em Romanos 4, que Deus nos atribui "justiça" à parte de nossas obras e que nossos pecados são "cobertos" (vv. 5, 7). E, mais importante ainda, isso foi o que Paulo quis dizer, de modo chocante, ao afirmar que Deus "justifica o ímpio" (v. 5). Deus não nos declara justos porque nós mesmos somos justos. E agradeçamos a Deus porque isso é verdade, pois nenhum de nós satisfaria o padrão de Deus. Não! Deus nos declara justos porque, pela fé, somos vestidos da vida justa de Cristo. Deus nos salva por pura graça, não por causa de qualquer coisa que tenhamos feito, mas tão-somente por causa do que *Jesus* fez por nós.

O profeta Zacarias confirma isso por meio da linda visão do sumo sacerdote Josué sendo vestido de roupas novas. Eis o que Zacarias escreveu:

> Deus me mostrou o sumo sacerdote Josué, o qual estava diante do Anjo do SENHOR, e Satanás estava à mão direita dele, para se lhe opor. Mas o SENHOR disse a Satanás: O SENHOR te repreende, ó Satanás; sim, o SENHOR, que escolheu a Jerusalém, te repreende; não é este um tição tirado do fogo?
> Ora, Josué, trajado de vestes sujas, estava diante do Anjo. Tomou este a palavra e disse aos que estavam diante dele: Tirai-lhe as vestes sujas. A Josué disse: Eis que tenho feito que passe de ti a tua iniqüidade e te vestirei de finos trajes.

E disse eu: ponham-lhe um turbante limpo sobre a cabeça. Puseram-lhe, pois, sobre a cabeça um turbante limpo e o vestiram com trajes próprios; e o Anjo do SENHOR estava ali.

Zc 3.1-5

Essas vestes finas e novas não pertenciam a Josué. Nem o turbante limpo. Tudo que pertencia a Josué eram as vestes sujas que ele usava, aquelas que Satanás estava prestes a apontar como motivo de acusação e escárnio. Não! A justiça que Josué desfrutava diante de Deus não era dele mesmo. A justiça lhe foi dada por outra pessoa.

Isso é verdadeiro também quanto a nós, cristãos. Nossa justiça diante de Deus não é nossa. Ela nos foi dada por Jesus. Deus olhou para seu Filho e viu nosso pecado. Olha para nós e vê a justiça de Cristo. Como diz a canção,

> Deus, o justo, é satisfeito
> Em olhar para Ele e perdoar-me.[2]

Fé Somente

Quando compreendemos como somos dependentes de Jesus para a nossa salvação – sua morte por nosso pecado, sua

---

2 "Before the Throne of God Above", Charitie L. Bancroft, 1863.

vida por nossa justiça –, entendemos por que a Bíblia é tão insistente no fato de que a salvação vem *somente* pela fé nele. Não há outra maneira, não há outro salvador, não há ninguém e nada mais, no mundo, em que possamos descansar para a salvação, incluindo nossos próprios esforços.

Toda outra religião existente na história humana rejeita esta idéia de que somos justificados somente pela fé. Em vez disso, as outras religiões afirmam que a salvação é ganha por meio de esforço moral, boas obras e por equilibrarmos, de algum modo, a nossa conta por obtermos mérito suficiente para exceder o nosso mal. Isso não é surpreendente. É bastante humano pensar – e até *insistir* em – que podemos contribuir para a nossa própria salvação.

Todos nós somos pessoas autoconfiantes, não somos? Somos convencidos de nossa autossuficiência e nos ressentimos de qualquer insinuação de que somos o que somos por causa da intervenção de outra pessoa. Pense em como você se sentiria se alguém dissesse sobre o seu trabalho ou sobre algo que você valoriza: "Sim, você não fez por merecer isso. Você o tem somente por que outra pessoa lhe *deu*". Isso é exatamente a verdade em relação à nossa salvação diante de Deus. Ele nos dá a salvação como um dom da graça, e não contribuímos nada para ela – nem a nossa justiça, nem o nosso pagamento por nossos pecados e, certamente, nem quaisquer boas obras que possam equilibrar a conta (Gl 2.16).

Colocar a sua fé em Cristo significa renunciar totalmente qualquer outra esperança de ser considerado justo diante de Deus. Você está confiando em suas próprias boas obras? A fé significa admitir que elas são deploravelmente insuficientes e confiar somente em Cristo. Você está confiando no que entende ser um bom coração? A fé significa reconhecer que seu coração não é bom, de modo nenhum, e confiar somente em Cristo. Dizendo-o em outras palavras, a fé significa pular da beira da piscina e dizer: "Jesus, se você não me pegar, estou perdido. Não tenho qualquer outra esperança, nenhum outro salvador. Salva-me, Jesus, ou morro!"

Isso é fé.

Arrependimento, o Outro Lado da Moeda

A mensagem de Jesus aos seus ouvintes foi esta: "Arrependei-vos e crede no evangelho" (Mc 1.15). Se a fé é voltar-se para Jesus e confiar nele para a salvação, o arrependimento é o outro lado dessa moeda. É afastar-se do pecado, odiá-lo e resolver, pelo poder de Deus, abandonar o pecado, ao mesmo tempo em que nos voltamos para Deus com fé. Por isso, Pedro disse à multidão que o ouvia: "Arrependei-vos, pois, e convertei-vos para serem cancelados os vossos pecados" (At 3.19). E Paulo anunciou a todos "que se arrependessem e se convertessem a Deus" (At 26.20).

O arrependimento não é um acessório opcional à vida cristã. É absolutamente crucial à vida cristã, distinguindo os que foram salvos por Deus dos que não foram salvos.

Tenho conhecido muitas pessoas que diriam algo assim: "Sim, aceitei a Jesus como Salvador, portanto, sou um cristão. Mas ainda não estou pronto para aceitá-lo como Senhor. Tenho algumas coisas para corrigir". Em outras palavras, elas afirmam que podem ter fé em Jesus e serem salvas, mas, apesar disso, não se arrependerem do pecado.

Se entendermos corretamente o arrependimento, admitiremos que a idéia de que você pode aceitar Jesus como Salvador, mas não como Senhor, é ilógica. Por um lado, tal idéia não se harmoniza com o que a Bíblia diz sobre o arrependimento e sua conexão com a salvação. Por exemplo, Jesus advertiu: "Se... não vos arrependerdes, todos igualmente perecereis" (Lc 13.3). Quando os apóstolos ouviram o relato de Pedro sobre a conversão de Cornélio, eles glorificaram a Deus por conceder aos gentios "o arrependimento para vida" (At 11.18). E Paulo falou sobre o "arrependimento para a salvação" (2 Co 7.10).

Além disso, ter fé em Jesus é, em essência, crer que ele é realmente o que diz ser – o Rei crucificado e ressuscitado que venceu a morte e o pecado, e tem o poder de salvar. Ora, como uma pessoa poderia crer e descansar realmente em Jesus e, ao mesmo tempo, dizer: "Mas não reconheço que o Senhor é Rei sobre *mim*"? Isso não faz sentido. A fé em Cristo traz consigo uma renúncia do poder rival que Jesus venceu – o pecado. E, onde essa renúncia do pecado não está presente, também não há fé genuína nAquele que venceu o pecado.

É como Jesus disse: "Ninguém pode servir a dois senhores; porque ou há de aborrecer-se de um e amar ao outro, ou se devotará a um e desprezará ao outro" (Mt 6.24). Depositar a fé no Rei Jesus implica renunciar seus inimigos.

Arrependimento, Não Perfeição, Mas Lutar

Nada disso significa que um cristão nunca pecará. Arrependimento do pecado não significa necessariamente que você para de pecar – não totalmente e, com muita frequência, não em áreas específicas. Os cristãos ainda são pecadores caídos, mesmo depois de haverem recebido de Deus uma nova vida espiritual, e continuarão a lutar contra o pecado, até serem glorificados com Jesus (veja Gl 5.17; 1 Jo 2.1). Contudo, ainda que o arrependimento não signifique um fim imediato de nosso pecar, ele significa que não mais viveremos em paz com nosso pecado. Declararemos guerra mortal contra o pecado e nos dedicaremos a resistir-lhe pelo poder de Deus em todas as frentes de nossa vida.

Muitos cristãos combatem fortemente essa idéia de arrependimento porque esperam, de algum modo, que, se eles se arrependerem genuinamente, o pecado irá embora e a tentação cessará. Quando isso não acontece, eles caem em desespero, questionando a si mesmos quanto à realidade de sua fé em Jesus. É verdade que, ao regenerar-nos, Deus nos dá poder para lutar contra o pecado e vencê-lo (1 Co 10.13). Mas, visto que continuaremos a lutar contra o pecado até que sejamos glorificados, temos de lembrar que o arrependimento verdadeiro é, mais fundamentalmente, uma questão de atitude do coração para com o pecado, e não uma simples mudança de comportamento. Odiamos o pecado e lutamos contra ele ou apreciamos o pecado e o defendemos?

Um escritor expressou essa verdade com muita beleza:

> A diferença entre um não-convertido e um convertido não é que um tem pecados e o outro não tem nenhum. A diferença é que um se coloca ao lado de seus pecados queridos em oposição a um Deus terrível, e o outro se coloca ao lado de um Deus reconciliado em oposição aos seus pecados odiados.[3]

---

3 ARNOT, William. *Laws from heaven for life on Earth*. London: T. Nelson and Sons, 1884. p. 311.

Então, em que lado você se coloca: de seus pecados ou de seu Deus?

Mudança Genuína, Fruto Genuíno

Quando uma pessoa se arrepende verdadeiramente e crê em Cristo, a Bíblia diz que ela recebe uma nova vida espiritual. Paulo disse: "Ele vos deu vida, estando vós mortos nos vossos delitos e pecados... Deus, sendo rico em misericórdia, por causa do grande amor com que nos amou, e estando nós mortos em nossos delitos, nos deu vida juntamente com Cristo" (Ef 2.1, 4-5). Quando isso acontece, nossa vida muda – não imediatamente, não rapidamente, não firmemente. Mas ela muda. Começamos a dar frutos.

A Bíblia diz que os cristãos são distinguidos mesmo pelo tipo de amor, compaixão e bondade que caracterizaram o próprio Jesus. Os verdadeiros cristãos praticarão "obras dignas de arrependimento", disse Paulo (At 26.20). E Jesus disse: "Cada árvore é conhecida pelo seu próprio fruto. Porque não se colhem figos de espinheiros, nem dos abrolhos se vindimam uvas" (Lc 6.44). Em outras palavras, quando as pessoas recebem nova vida espiritual, elas começam a fazer os tipos de coisas que Jesus fez. Começam a viver como Jesus viveu e produzir bons frutos.

Uma coisa da qual temos sempre de nos guardar é qualquer pensamento de que esses frutos são a causa de nossa salvação. Há sempre o perigo de que, ao começarmos a dar frutos em nossa vida, começaremos sutilmente a confiar nesses frutos para a nossa salvação, em vez de confiarmos em Cristo. Se você é cristão, guarde-se dessa tentação. Compreenda isto: o fruto que você dá é apenas o fruto de uma árvore que foi tornada boa pela graça de Deus em Cristo. Confiar em seu próprio fruto cristão para garantir o favor de Deus é, em última análise, retirar a fé de Jesus e colocá-la em você mesmo. E isso não é salvação, de modo algum.

Para Onde Você Apontará?

Quando você estiver diante de Deus, no julgamento, o que você planeja fazer ou dizer para convencer a Deus a considerá-lo justo e admiti-lo a todas as bênçãos do reino dele? Que boas ações ou atitudes piedosas você lhe apresentará para impressioná-lo? Você apresentará sua frequência à igreja? Sua vida familiar? Seus pensamentos impecáveis? O fato de que você não fez algo realmente deplorável aos seus próprios olhos? Duvido que se apresentará a Deus e lhe dirá: "Deus, por conta de tudo *isso*, justifique-me!"

Eu lhe direi o que fará todo cristão cuja fé está somente em Cristo, pela graça de Deus. Ele apontará simples e tranquilamente para Jesus. E este será o seu apelo: "Ó Deus, não olhe para qualquer justiça que haja em minha própria vida. Olhe para seu Filho. Considere-me justo não por causa de qualquer coisa que eu tenha feito ou que eu seja, e sim por causa dele. Ele viveu a vida que eu deveria ter vivido. Ele morreu a morte que eu merecia. Renunciei todas as outras confianças. Ele é meu único apelo. Justifique-me, ó Deus, por causa de Jesus".

Capítulo 6

O Reino

Na entrada do estacionamento de nossa igreja, há uma placa de bronze que cita as famosas palavras do missionário Jim Elliot: "Não é tolo aquele que dá o que não pode reter para ganhar o que não pode perder". Amo essas palavras porque elas expressam bem o custo e a recompensa de ser um cristão.

Não há dúvida de que ser um cristão tem um custo (Lc 14.28). Mas também é verdade que as recompensas de ser um cristão são indizivelmente maravilhosas. Perdão dos pecados, adoção como filhos de Deus, relacionamento com Jesus, o dom do Espírito Santo, livramento da tirania do pecado, a comunhão da igreja, a ressurreição final e a glorificação do corpo, a inclusão no reino de Deus, os novos céus e a nova terra, a eternidade na presença de Deus, ver a sua face – todas essas coisas são promessas que Deus nos faz em Cristo. Não é surpreendente que Paulo tenha citado Isaías, dizendo:

> Nem olhos viram,
> nem ouvidos ouviram,
> nem jamais penetrou em coração humano
> o que Deus tem preparado para aqueles que o amam.
> 1 Co 2.9

A vida cristã não é apenas assegurar-nos de que estamos livres da ira de Deus. De modo nenhum! A vida cristã é ter um relacionamento *correto* com Deus e, em última análise, desfrutar de Deus para sempre. Isso significa: a vida cristã é ganhar o que não podemos perder – tornar-se um cidadão do reino eterno de Deus.

Desde o momento em que uma pessoa crê em Cristo, tudo em sua vida muda para sempre. Eu sei, eu sei – às vezes, não parece assim. Não há confetes celestiais, não há trombetas, não há anjos cantando (pelo menos, para que possamos ouvir), mas, ainda assim, isso é verdade. *Tudo* muda. Deus "nos libertou", disse Paulo, "do império das trevas e nos transportou para o reino do Filho do seu amor" (Cl 1.13).

O que É o Reino de Deus?

O reino de Deus é um tema importante no Novo Testamento. Jesus mesmo pregou constantemente sobre esse tema, dizendo: "Arrependei-vos, porque está próximo o reino dos céus" (Mt 4.17). Atos 28.31 resume o ministério de Paulo nestes termos: "Pregando o reino de Deus, e, com toda a intrepidez, sem impedimento algum, ensinava as coisas referentes ao Senhor Jesus Cristo". O autor de Hebreus exultou no fato de que os crentes em Cristo receberam "um reino inabalável" (Hb 12.28). E Pedro encorajou seus leitores com o pensamento de ser-lhes "amplamente suprida a entrada no reino eterno de nosso Senhor e Salvador Jesus Cristo" (2 Pe 1.11). No livro de Apocalipse, todas as hostes celestes irrompem em louvor: "Agora, veio a salvação, o poder, o reino do nosso Deus e a autoridade do seu Cristo" (Ap 12.10).

Mas, o que é exatamente o reino de Deus? É um domínio, um Estado real sobre o qual Deus tem autoridade especial? É a igreja? É aqui e agora ou é algo que esperamos, algo que virá no futuro? No que diz respeito a este assunto, quem exatamente está no reino de Deus? O governo de Deus não se estende sobre todos, apesar de as pessoas crerem ou não em Cristo? Não estamos todos no reino de Deus? Não podemos, todos nós – quer sejamos cristãos, quer não – trabalhar para o estabelecimento do reino?

Tentemos considerar todas essas perguntas por observarmos algumas coisas que as Escrituras nos ensinam sobre o reino de Deus.

O Reino Redentor de Deus

Primeiramente, o reino de Deus é o governo redentor de Deus sobre o seu povo. *Reino* é uma daquelas palavras que traz consigo implicações muito fortes. E, neste caso, as conotações tendem a ser confundidas. Frequentemente, quando pensamos num reino, pensamos em uma área específica de terra que tem um conjunto de limites bem definidos. Para muitos de nós, *reino* é uma palavra geográfica. Isso não é o que acontece na Bíblia. No sentido bíblico, o reino de Deus é mais bem entendido como um *reinado* do que como um reino, no sentido em que costumamos usar essa palavra. O reino de Deus é, portanto, o governo, o domínio e a autoridade de Deus (Sl 145.11, 13).

Há outra palavra crucial que precisamos acrescentar à nossa definição. Como a Bíblia ensina, o reino de Deus não é somente governo e domínio. É seu governo e domínio *redentor*; é a soberania amorosa que Deus exerce sobre *seu próprio povo*.

De fato, é verdade que nenhum centímetro quadrado do universo, nenhuma pessoa, está fora do governo de Deus ou, de algum modo, fora do âmbito de sua autoridade. Ele criou tudo, exerce domínio sobre tudo e julgará todos. Mas, quando a Bíblia usa a expressão "reino de Deus", ela se refere de modo bem específico ao governo de Deus sobre seu próprio povo, sobre aqueles que foram salvos por Cristo. Paulo falou sobre os cristãos como sendo transportados do reino das trevas para o reino de Cristo (Cl 1.12-13); e foi bem cuidadoso em ressaltar que os ímpios não herdarão o reino de Deus (1 Co 6.9).

Portanto, o reino de Deus, definido em termos simples, é o governo, a autoridade e o domínio redentor de Deus sobre aqueles que ele redimiu em Jesus.

O Reino Chega

Em segundo lugar, o reino de Deus está aqui. Quando Jesus começou seu ministério terreno, ele pregou uma mensagem impressionante: "Arrependei-vos, porque está próximo o reino dos céus" (Mt 3.2). Na realidade, você poderia traduzir esse versículo assim: "Arrependei-vos, porque o reino dos céus chegou!"

Já vimos que afirmação impressionante Jesus estava fazendo ao proferir essas palavras. Os judeus estavam esperando e aguardando, por séculos, o alvorecer do reino; o dia em que o governo de Deus seria estabelecido na terra e seu povo seria, finalmente, justificado. Mas ali estava Jesus – aquele carpinteiro nazareno que se tornara mestre – dizendo-lhes que chegara o dia pelo qual eles esperavam.

E não somente isso. Jesus estava também afirmando que o reino de Deus tinha sido inaugurado *nele*! Por isso, quando os fariseus acusaram Jesus de expulsar demônios em nome de Satanás, Jesus os repreendeu e fez esta declaração desconcertante: "Se, porém, eu expulso demônios pelo Espírito de Deus, certamente é chegado o reino de Deus sobre vós" (Mt 12.28). Você percebe o que Jesus estava dizendo? É claro que Jesus *estava* expulsando demônios e o fazia pelo Espírito de Deus. O que ele estava dizendo era que, por fim, o livramento prometido por Deus ao seu povo havia começado. O reino chegara.

Que pensamento maravilhoso é esse! A encarnação de Jesus era mais do que apenas uma visita cordial do Criador. Era o início da ofensiva plena e final de Deus contra o pecado, morte e destruição que se introduziram no mundo quando Adão caiu.

Você pode ver a guerra acontecendo durante toda a vida de Jesus narrada no Novo Testamento. O Rei Jesus vai sozinho ao deserto para enfrentar Satanás – aquele que havia tentado Adão e lançado o mundo em corrupção muitos anos antes – e o derrota decisivamente! Ele toca os olhos de um cego de nascença e a luz entra naqueles olhos pela primeira vez. Jesus olha para as trevas sombrias de um sepulcro e clama: "Lázaro, vem para fora!", e a morte sente que seu poder sobre a humanidade começar a enfraquecer-se, quando o morto sai do sepulcro.

E, acima de tudo, o próprio pecado é vencido quando Jesus clama na cruz: "Está consumado!". E o poder da morte fracassa totalmente quando o anjo diz – com um sorriso, tenho certeza – "Por que buscais entre os mortos ao que vive? Ele não está aqui, mas ressuscitou" (Lc 24.5-6). Passo a passo, Jesus vence decisivamente os efeitos da Queda. O legítimo Rei do mundo chegara, e tudo que se opunha ao estabelecimento de seu reino – pecado, morte, inferno, Satanás – estava sendo vencido decisivamente.

O que isso significa é que muitas das bênçãos do reino já são nossas. Jesus disse aos seus discípulos que lhes enviaria "outro Consolador", o Espírito Santo, que os guiaria, os convenceria do pecado e os santificaria. Da mesma maneira, os cristãos sabem agora o que significa ter sido adotado na família de Deus e ser reconciliado com ele. Paulo até disse que, aos olhos de Deus, já estamos ressuscitados e assentados com Cristo (Ef 2.6).

Isso é uma verdade incrivelmente encorajadora. Entretanto, há algo mais, algo igualmente importante, que temos de entender.

Um Reino Ainda Não Completo

Em terceiro lugar, o reino de Deus ainda não está completo, e não será completo até que o Rei Jesus volte. Apesar de tudo que Jesus fez para vencer os poderes do mal, ele não estabeleceu plena e finalmente o reino de Deus na terra – pelo menos, ainda não. O homem forte foi amarrado, mas não destruído. O mal foi vencido, mas não aniquilado, e o reino de Deus foi inaugurado, mas não trazido a completude total e final.

Jesus falou sobre um dia futuro quando o reino de Deus será consumado. Naquele dia, ele disse, os anjos "ajuntarão do seu reino todos os escândalos e os que praticam a iniqüidade... Então, os justos resplandecerão como o sol, no reino de seu Pai" (Mt 13.41-43). Na última ceia, ele também anelou pelo dia em que beberia o fruto da videira novamente com seus discípulos: "E digo-vos que, desta hora em diante, não beberei deste fruto da videira, até aquele dia em que o hei de beber, novo, convosco no reino de meu Pai" (Mt 26.29).

Paulo também olhou com anseio para a ressurreição dos mortos, na eternidade (1 Co 15), e disse aos cristãos de Éfeso que eles tinham sido selados com o Espírito Santo, "o qual é o penhor da nossa herança, *até ao resgate da sua propriedade*, em louvor da sua glória" (Ef 1.14). Depois, ele disse que Deus nos salvou "para mostrar, *nos séculos vindouros*, a suprema riqueza da sua graça, em bondade para conosco, em Cristo Jesus" (Ef 2.7). Pedro também falou sobre "a salvação preparada para revelar-se no último tempo" (1 Pedro 1.5). E o autor de Hebreus disse aos seus leitores que eles eram "estrangeiros e peregrinos sobre a terra" (Hb 11.13), e que deveriam aguardar a "cidade que tem fundamentos, da qual Deus é o arquiteto e edificador" (v. 10).

A grande esperança dos cristãos, a coisa pela qual anelamos e para a qual olhamos a fim de obter força e coragem é o dia em que nosso Rei abrirá os céus e retornará para estabelecer seu reino glorioso, completo, para sempre. Naquele momento glorioso, tudo no mundo será corrigido, a justiça será finalmente feita, o mal será vencido para sempre e a retidão, estabelecida de uma vez por todas. Deus promete:

> Eis que eu crio novos céus e nova terra;
> e não haverá lembrança das coisas passadas,
> jamais haverá memória delas...
> E exultarei por causa de Jerusalém
> e me alegrarei no meu povo,
> e nunca mais se ouvirá nela
> nem voz de choro nem de clamor.
>
> Is 65.17-19

E, naquele dia, nos diz o profeta:

Não se fará mal nem dano algum
em todo o meu santo monte,
porque a terra se encherá do conhecimento do SENHOR,
como as águas cobrem o mar

Is 11.9

Quando eu era criança, costumava pensar que o destino dos cristãos era passar a eternidade em um culto de igreja desincorporado que nunca acabaria. Isso era um pensamento sagrado! Mas era totalmente errado. Deus planeja criar para seu povo um novo mundo, livre do pecado, morte e doenças. A guerra acabará, a opressão cessará, e Deus habitará com seu povo para sempre. Nunca mais qualquer membro do povo de Deus sofrerá a morte e nunca mais as lágrimas arderão nossos olhos em frente a uma lápide. Nunca mais uma criança viverá poucos dias e morrerá. Nunca mais lamentaremos, seremos magoados ou choraremos. Nunca mais ansiaremos por nosso lar. Como nos diz Apocalipse, Deus mesmo limpará de nossos olhos toda lágrima, e veremos finalmente a sua face!

O que você diz em resposta a tudo isso? Como penso, talvez você diga: "Oh! Senhor Jesus, vem logo!"

Sempre fico admirado quando vejo pessoas falando sobre

todas essas promessas – os novos céus, a nova terra, a cidade celestial, onde não entra nenhum mal, o mundo esvaziado de guerra, opressão e morte, o povo de Deus ressuscitado, vivendo prazerosamente diante dele para sempre – e, em seguida, dizendo: "Bem, vamos fazer isso acontecer!"

O fato é que, como seres humanos, não seremos capazes de realizar o estabelecimento e a consumação do reino de Deus. Apesar de nossos melhores – genuinamente bons – esforços para fazer do mundo um lugar melhor, o reino prometido na Bíblia virá somente quando o Rei Jesus retornar para fazê-lo acontecer.

Por várias razões, isso é algo crucial lembrarmos. Isso nos protege de um otimismo errado e, em última análise, enganador sobre o que seremos capazes de fazer neste mundo caído. Os cristãos serão capazes, certamente, de realizar algumas mudanças na sociedade. Já aconteceu antes na História, e não tenho qualquer razão para duvidar que esteja acontecendo em alguns lugares agora mesmo e acontecerá de novo no futuro. Os cristãos têm feito e ainda podem fazer imenso bem no mundo – o bem que recomendará Deus e Jesus Cristo ao mundo.

No entanto, acho que a linha histórica da Bíblia nos força a reconhecer que, até o retorno de Cristo, nossas vitórias sociais e culturais serão sempre temporárias e nunca permanentes. Os cristãos nunca produzirão o reino de Deus.

Somente Deus pode fazer isso. A Jerusalém celestial *desce do céu*; não é construída da terra para cima.

E, o que é mais importante ainda, lembrar que o reino de Deus será estabelecido somente quando Jesus voltar centraliza corretamente nossas esperanças, nossa afeição e nosso anseio no próprio Jesus. Em vez de olharmos para algum poder humano, alguma ação humana, alguma autoridade humana ou mesmo nosso próprio esforço para corrigir tudo, olhamos para os céus e clamamos juntamente com o apóstolo João: "Vem, Senhor Jesus!". Nosso anelo por seu retorno aumenta, nossas orações se tornam mais fervorosas e nosso amor por ele se aprofunda. Em resumo, nossos desejos e esperanças centralizam-se firmemente – e corretamente – não tanto no reino, e sim no Rei do reino.

A Resposta ao Rei

Em quarto lugar, a inclusão no reino de Deus depende totalmente da resposta da pessoa ao Rei. Jesus não poderia ter sido mais claro a respeito disso. Repetidas vezes, ele fez dessa resposta a ele e à sua mensagem o fator determinante quanto à inclusão da pessoa em seu reino. Pense na história do jovem rico que indagou: "Que farei para herdar a vida eterna?". A resposta final de Jesus foi: "Segue-me", que para o jovem rico significava abandonar a confiança em sua própria riqueza e crer em Jesus (Mc 10.17, 21).

Diversas vezes, Jesus mostrou que Deus traçará uma divisão na humanidade, separando os salvos dos não-salvos. E a única coisa que fará diferença entre os dois grupos é a maneira como eles responderam ao Rei Jesus. Esse é o principal ensino da história das ovelhas e dos cabritos em Mateus 25. No final, a diferença entre "vinde" e "apartai-vos de mim" é o modo como toda pessoa respondeu a Jesus quando ele foi apresentado por seus "irmãos", ou seja, seu povo.

Evidentemente, o que torna possível sermos o povo de Jesus é, em primeiro lugar, a sua morte em nosso favor, na cruz. Esse é o fato realmente admirável sobre Jesus – não somente que ele era Rei ou que inaugurou um reino de amor e compaixão. De fato, isso não é admirável, de modo algum. Todo judeu sabia que isso aconteceria algum dia. Não! O que foi realmente admirável no evangelho de Jesus foi que o próprio Rei *morreu* para salvar seu povo; que o Messias acabou se revelando um Messias *crucificado*.

Por séculos, os judeus haviam esperado por um Rei messiânico que viria e os libertaria. Eles também esperavam pelo sofredor Servo do Senhor (profetizado por Isaías) e tinham até expectativas vagas quanto a um "filho de homem" divino, que apareceria no fim dos tempos (Daniel). O que eles jamais haviam imaginado era que todas essas três figuras se revelariam no mesmo homem! Ninguém jamais tinha unido essas três linhas – pelo menos, não até a vinda de Jesus.

No entanto, Jesus não somente declarou ser o cumprimento das esperanças messiânicas de Israel (ou seja, o Rei), mas também se referiu constantemente a si mesmo como o "Filho do Homem" divino, referido em Daniel 7. Além disso, Jesus disse sobre o Filho do Homem que ele tinha vindo para "dar a sua vida em resgate por muitos" (Mc 10.45). Isso aponta inconfundivelmente para o sofredor Servo do Senhor anunciado em Isaías 53.10.

Você percebe o que Jesus disse? Jesus disse que ele mesmo cumpriu – todos ao mesmo tempo – os papéis de Messias davídico, de Servo Sofredor profetizado por Isaías e de Filho do Homem referido por Daniel! Ele assumiu a natureza divina do Filho do Homem, uniu-a ao sofrimento vicário do Servo e, finalmente, combinou tudo isso com seu papel messiânico. Quando Jesus terminou de unir todas as linhas da esperança judaica, este Rei se tornou infinitamente mais do que o revolucionário terreno que os judeus esperavam. Ele se tornou o Servo-Rei divino, que sofreria e morreria para obter a salvação de seu povo, torná-lo justo aos olhos de Deus e trazê-lo com glória ao seu reino.

À luz de tudo isso, não é surpreendente que Jesus fez a

entrada em seu reino depender unicamente de que a pessoa se arrependa do pecado e creia nele e em sua obra expiatória na cruz. Quando Jesus fala sobre "o evangelho do reino", o seu ensino não é apenas que o reino já chegou. O seu ensino é que o reino já chegou *e* você pode ser incluído no reino se unir-se a Mim, o Rei, crendo no fato de que somente Eu posso salvá-lo de seu pecado.

Portanto, ser um cidadão do reino não é uma questão apenas de "viver a vida do reino", ou de "seguir o exemplo de Jesus", ou de "viver como Jesus viveu". O fato é que uma pessoa pode confessar que "vive a vida do reino" ou que "segue o exemplo de Jesus" e, apesar disso, estar fora do reino. Você pode até viver como Jesus viveu, mas, se não veio ainda ao Rei crucificado, em arrependimento e fé, confiando somente nele como o sacrifício perfeito por seu pecado e sua única esperança de salvação, você não é um cristão e nem um cidadão do reino de Jesus.

A maneira de ser incluído no reino de Cristo é vir ao Rei, não somente aclamando-o como um grande exemplo que nos mostra uma maneira de viver melhor, mas confiando humildemente nele como o Senhor crucificado e ressurreto; como o único que pode livrá-lo da sentença de morte. Em última análise, o sangue do Rei é a única maneira de entrarmos no reino.

Um chamado a viver para o Rei

Em quinto lugar, ser um cidadão do reino é ser chamado a viver a vida do reino. Em Romanos 6, Paulo exorta os cristãos a reconhecerem que foram resgatados do domínio do pecado e trazidos ao reino de Deus.

> Fomos, pois, sepultados com ele na morte pelo batismo; para que, como Cristo foi ressuscitado dentre os mortos pela glória do Pai, assim também andemos nós em novidade de vida.
> Porque, se fomos unidos com ele na semelhança da sua morte, certamente, o seremos também na semelhança da sua ressurreição, sabendo isto: que foi crucificado com ele o nosso velho homem, para que o corpo do pecado seja destruído, e não sirvamos o pecado como escravos; porquanto quem morreu está justificado do pecado. Ora, se já morremos com Cristo, cremos que também com ele viveremos, sabedores de que, havendo Cristo ressuscitado dentre os mortos, já não morre; a morte já não tem domínio sobre ele. Pois, quanto a ter morrido, de uma vez para sempre morreu para o pecado; mas, quanto a viver, vive para Deus.

> Assim também vós considerai-vos mortos para o pecado, mas vivos para Deus, em Cristo Jesus
>
> *Rm 6.4-11*

Quando somos trazidos, pela fé, ao reino de Deus, o Espírito Santo nos dá uma nova vida. Nós nos tornamos cidadãos de um novo reino e súditos de um novo Rei. Por causa disso, temos uma nova obrigação de obedecer a esse Rei, vivendo de um modo que o honra. Foi por isso que Paulo disse:

> Não reine, portanto, o pecado em vosso corpo mortal, de maneira que obedeçais às suas paixões; nem ofereçais cada um os membros do seu corpo ao pecado, como instrumentos de iniqüidade; mas oferecei-vos a Deus, como ressurretos dentre os mortos, e os vossos membros, a Deus, como instrumentos de justiça
>
> *Rm 6.12-13*

Até que Cristo volte, seu povo continuará a viver nesta era pecaminosa, e o nosso Rei nos chama a viver uma vida digna do reino para o qual ele nos chamou (1 Ts 2.12), a resplandecer como "luzeiros no mundo", no meio de uma geração pervertida e corrupta (Fp 2.15). Não é esse viver a vida do reino que nos introduz nele. Antes, visto que fomos trazidos pela fé ao Rei, temos um novo Senhor, uma nova lei, um novo caráter, uma nova vida e, por isso, *desejamos* viver a vida do reino.

A Bíblia nos diz que nesta época, a vida do reino é desenvolvida primariamente na igreja. Você já tinha pensado nisso? A igreja é o lugar em que o reino de Deus é tornado visível nesta época. Veja Efésios 3.10-11:

> Para que, pela igreja, a multiforme sabedoria de Deus se torne conhecida, agora, dos principados e potestades nos lugares celestiais, segundo o eterno propósito que estabeleceu em Cristo Jesus, nosso Senhor.

A igreja é a arena que Deus escolheu para, acima de tudo, exibir sua sabedoria e a glória do evangelho. Como muitos já disseram, a igreja é um posto avançado do reino de Deus neste mundo. Não é correto dizer que a igreja *é* o reino de Deus. Como já vimos, no reino há muito mais do que isso. Todavia, *é* correto dizer que a igreja é o lugar em que vemos o reino de Deus manifestado nesta época.

Você quer saber com o que se parece o reino de Deus, antes que ele se torne perfeito? Quer ver a vida do reino sendo vivida neste mundo? Olhe para a igreja. Na igreja, a sabedoria de Deus é manifestada, pessoas que antes eram alienadas são reconciliadas e unidas por causa de Jesus, e o Espírito Santo de Deus está agindo para refazer e reconstruir vidas humanas. É na igreja que o povo de Deus aprende a amar uns aos outros, a levar as tristezas e as cargas uns dos outros, a chorar e a regozijar-se juntos e a serem responsáveis uns com os outros. Evidentemente, a igreja não é perfeita, mas ela é a esfera em que a vida do reino é vivida e exibida a um mundo que necessita desesperadamente de salvação.

Avançando em Meio às Trevas

É exatamente essa profunda necessidade de salvação do mundo que torna muito difícil o viver como um cidadão do reino de Cristo nesta época. Para o mundo, os cristãos são ameaçadores. E sempre foi assim. Nos dias da igreja primitiva, a declaração "Jesus é Senhor" era uma rejeição blasfema e revoltosa da autoridade do imperador; e os cristãos eram mortos por fazerem tal declaração. Hoje, a declaração "Jesus é Senhor" é uma rejeição intolerante e fanática do pluralismo, e o mundo nos injuria por causa dessa afirmação.

Nas Escrituras, a vida do reino – a luta para permanecer fiel ao Rei – nunca é descrita como fácil. Jesus prometeu que seus seguidores enfrentariam perseguição, seriam injuriados, zombados e mortos. Contudo, nós, cristãos, avançamos em meio a tudo isso, porque sabemos que guardada na presença de Deus há uma herança superior a qualquer coisa que possamos imaginar.

No último livro de *O Senhor dos Anéis*, a magnífica obra de J. R. R. Tolkien, os heróis da história chegam à parte mais sombria de sua jornada. Eles tinham viajado mais de mil quilômetros e chegado finalmente à terra má que era seu objetivo, mas, por diversas razões, tudo parecia perdido. Todavia, naquele momento mais repleto de escuridão, Sam, um dos heróis, olhou para o céu negro. Eis o que Tolkien escreveu:

> Bem acima das montanhas no Oeste, o céu da noite ainda estava escuro e baço. Ali, espiando por entre as nuvens, sobre um rochedo pontiagudo, no alto das montanhas, Sam viu uma estrela branca cintilar por alguns momentos. A beleza da estrela impressionou seu coração, enquanto ele olhava da terra desolada; e a esperança lhe retornou. Pois, como um raio, claro e frio, penetrou-o o pensamento de que, afinal de contas, a Sombra era uma coisa insignificante e passageira: havia luz e beleza sublime que estavam, para sempre, além de seu alcance.

Esse é um dos meus momentos favoritos da história, porque é exatamente nesse ponto que Tolkien, que professava a fé em Cristo, nos mostra onde encontramos coragem para avançar em meio às trevas. A coragem procede da esperança. Procede de saber que nossos sofrimentos presentes são, na verdade, coisas insignificantes e passageiras e que, como disse Paulo, não são realmente dignos de serem comparados com a glória que será revelada em nós quando o nosso Rei voltar.

Capítulo 7

Mantendo a Cruz no Centro

Em um momento de *O Peregrino*, obra de John Bunyan, o herói da história, Cristão, está conversando com dois companheiros chamados Formalista e Hipocrisia. Como o próprio Cristão, eles dizem com insistência que estão no caminho para a Cidade Celestial e estão certos de que chegarão lá porque muitos de seu país andaram por esse caminho antes.

É claro que seus nomes revelam a situação. Formalista e Hipocrisia não chegarão à Cidade Celestial.

Quando Cristão vê pela primeira vez esses homens, eles estão pulando o muro que segue ao lado do caminho estreito no qual Cristão está. Evidentemente, ele reconhece que isso é um problema, pois sabe que a única entrada legítima para o caminho estreito é a Porta Estreita, que, na história, simboliza o arrependimento e a fé no Cristo crucificado.

Cristão, não temendo ir direto ao assunto, pressiona os dois homens quanto ao problema: "Por que não entraram pela Porta?". Os homens explicam imediatamente que as pessoas de seu país acham que a Porta está muito distante e, por isso, decidiram, há muito, "tomar um atalho". Além disso, eles argumentam:

> Se entramos no caminho, que importa a maneira como o fizemos? Se estamos nele, já estamos nele. Você também está no caminho, mas, como percebemos, entrou pela Porta Estreita; e nós, que igualmente estamos no caminho, viemos pulando por cima do muro. Em que a sua condição é melhor do que a nossa?

Cristão adverte os homens de que o Senhor da cidade decretou que todo que entra na Cidade Celestial tem de entrar pela Porta Estreita e lhes mostra um rolo que lhe foi dado, o qual ele deve apresentar no portão da cidade, para que tenha entrada. "Estas são coisas que duvido", diz Cristão, "que vocês sintam falta ou desejem, visto não terem entrado pela Porta Estreita".

O propósito de Bunyan era mostrar que o único caminho que conduz à salvação é por meio da Porta Estreita – ou seja, por meio do arrependimento e da fé. Não basta estar andando no caminho da vida cristã. Se alguém não entra por essa porta, não é um verdadeiro cristão.

Um Evangelho Melhor e Mais Relevante?

Essa é uma história velha, mas Bunyam estava afirmando uma verdade muito mais velha. Desde o princípio do tempo, pessoas têm tentado salvar a si mesmas por maneiras que fazem sentido para *elas*, e não por ouvirem e se submeterem a Deus. Elas têm tentado descobrir como operar a salvação – como fazer o evangelho ser eficaz – sem a Porta Estreita, ou seja, sem a cruz de Jesus Cristo.

Isso não é menos verdadeiro em nossos dias. De fato, creio que um dos grandes perigos com o qual o corpo de Cristo se depara hoje é a tentação de repensar e reafirmar o evangelho de um modo que tenha em seu centro outra coisa, e não a morte de Jesus na cruz em lugar de pecadores.

A pressão para fazermos isso é enorme e parece proceder de várias direções. Uma das principais fontes de pressão é a idéia, cada vez mais comum, de que o evangelho de perdão do pecado por meio da morte de Cristo não é muito importante;

que o evangelho não trata de problemas como guerra, opressão, pobreza, injustiça; e que o evangelho não é, como disse um escritor, "terrivelmente importante" no que diz respeito aos verdadeiros problemas deste mundo.

Creio que essa acusação é totalmente falsa. Todos esses problemas são, em sua raiz, o resultado do pecado humano. Portanto, é tolice pensar que com um pouco mais de ativismo, um pouco mais de interesse, um pouco mais de "viver a vida que Jesus viveu", resolveremos esses problemas. Não! Somente a cruz trata verdadeiramente, de uma vez por todas, do problema do pecado; é a cruz que torna possível aos seres humanos serem incluídos no reino perfeito de Deus.

Entretanto, a pressão para acharmos um evangelho "melhor", mais "relevante", parece ter se apossado de inúmeras pessoas. Repetidas vezes, em muitos livros, vemos descrições do evangelho que acabam relegando a cruz a uma posição secundária. Em seu lugar, há afirmações de que o âmago do evangelho é que Deus está refazendo o mundo, ou de que ele prometeu um reino que corrigirá todas as coisas, ou de que Deus está nos chamando a unir-nos a ele em transformar nossa cultura. Não importando as especificações, o resultado é que a morte de Jesus no lugar dos pecadores é pressuposta, marginalizada ou mesmo ignorada (às vezes, deliberadamente).

Três Evangelhos Substitutos

Ao que me parece, a descentralização da cruz está acontecendo sutilmente entre os cristãos evangélicos, de maneiras diferentes. Muitos evangelhos "melhores e mais relevantes" têm sido advogados em anos recentes. E cada um deles parece estar ganhando aceitação significativa. No entanto, visto que o centro desses evangelhos "melhores" não é a cruz, afirmo que eles são menos que o evangelho ou não são evangelho de modo algum. Desejo apresentar três exemplos disso.

"Jesus é Senhor" não é o evangelho

Um dos mais populares desses evangelhos é a afirmação de que as boas-novas são apenas a proclamação de que "Jesus é Senhor". Muito mais do que um arauto que poderia entrar numa cidade e declarar "César é Senhor", os cristãos devem proclamar as boas-novas de que Jesus é aquele que governa e está envolvido no processo de reconciliar o mundo consigo mesmo e colocá-lo sob o seu domínio.

É claro que a declaração "Jesus é Senhor" é absoluta e magnificamente verdadeira! E a afirmação do senhorio de Jesus é essencial à mensagem do evangelho. Paulo disse em Romanos 10.9 que todo aquele que confessar "Jesus é Senhor" será salvo. E, em 1 Coríntios 12.3, ele disse que é somente pelo Espírito de Deus que alguém pode afirmar essa verdade.

Entretanto, não é correto afirmar que a declaração "Jesus é Senhor" é toda a essência e substância das boas-novas cristãs. Já vimos como os primeiros cristãos afirmavam muito mais do que isso quando proclamavam o evangelho. Sim, em Atos 2, lemos que Pedro declarou: "Esteja absolutamente certa, pois, toda a casa de Israel de que a este Jesus, que vós crucificastes, Deus o fez Senhor e Cristo" (v. 36). Mas, antes e depois dessa afirmação, temos uma explicação completa do que *significava* o senhorio de Jesus. Significava que este Senhor fora crucificado, sepultado e ressuscitado, mas também significava que sua morte e sua ressurreição haviam realizado, acima de tudo, o "perdão dos pecados" para aqueles que se arrependessem e cressem nele. Pedro não somente declarou que Jesus é Senhor. Ele também proclamou que esse Senhor agiu em benefício de seu povo, para salvá-los da ira de Deus contra o pecado deles.

Agora, deve ser óbvio que apenas dizer "Jesus é Senhor" não é realmente as boas-novas, se não explicarmos que Jesus não é somente Senhor, mas também Salvador. O senhorio implica o direito de julgar; e já vimos que Deus tenciona julgar o mal. Portanto, para um pecador que está em rebelião contra Deus, e o seu Messias, a proclamação de que Jesus se tornou

Senhor é uma notícia terrível. Significa que seu inimigo conquistou o trono e que está prestes a julgar você por sua rebelião contra ele.

Para que essa notícia seja boa e não terrível, ela precisa incluir uma maneira de ser perdoada a sua rebelião, uma maneira de você ser reconciliado com aquele que se tornou Senhor. Isso é exatamente o que vemos no Novo Testamento – não apenas a proclamação de que Jesus é Senhor, mas também de que este Senhor Jesus foi crucificado para que pecadores sejam perdoados e trazidos ao gozo de seu reino vindouro. Sem isso, a declaração "Jesus é Senhor" não passa de uma sentença de morte.

Criação-Queda-Redenção-Consumação não é o evangelho

Muitos cristãos têm resumido a história bíblica usando estas quatro palavras: *criação, queda, redenção, consumação*.

De fato, esse esboço é uma boa maneira de resumir a linha histórica da Bíblia. Deus criou o mundo, o homem pecou, Deus agiu enviando o Messias, Jesus, para redimir um povo para ele mesmo, e a história chega ao fim na consumação de seu reino glorioso. De Gênesis a Apocalipse, essa é a grande maneira de lembrarmos a narrativa básica da Bíblia. De fato, quando você entende e afirma isso corretamente, o esboço criação-queda-redenção-consumação provê uma boa estrutura para uma apresentação fiel do evangelho bíblico.

O problema, porém, é que esse esboço tem sido usado erroneamente por alguns como uma maneira de colocar a ênfase do evangelho na promessa de Deus de renovar o mundo, em vez de colocar a ênfase na cruz. Consequentemente, o "evangelho" de criação-queda-redenção-consumação é apresentado, com muita frequência, como algo assim:

> O evangelho é as notícias de que, no princípio, Deus criou o mundo e tudo que nele há. Tudo era originalmente muito bom, mas os seres humanos se rebelaram contra Deus e lançaram o mundo em caos. O relacionamento entre os seres humanos e Deus foi quebrado, bem como o relacionamento das pessoas entre elas mesmas e o seu mundo. No entanto, depois da queda, Deus prometeu enviar um Rei que redimiria um povo para Ele mesmo e reconciliaria a criação com Deus. Essa promessa começou a ser cumprida com a vinda de Jesus Cristo, mas será finalmente completada ou consumada quando o Rei Jesus retornar.

É claro que tudo nesse parágrafo é verdadeiro, mas o que escrevi nele não é o evangelho. Assim como a proclamação

"Jesus é Senhor" não é boas-novas, a menos que haja uma maneira de sermos perdoados de nossa rebelião contra ele; assim também o fato de que Deus está refazendo o mundo não é boas-novas, a menos que você seja incluído nisso.

É perfeitamente correto usar o esboço criação-queda-redenção-consumação como uma maneira de explicar as boas-novas do Cristianismo. De fato, as categorias "criação" e "queda" se harmonizam quase exatamente com as nossas categorias "Deus" e "homem". Todavia, o ensino crucial está na categoria "redenção". Para proclamarmos verdadeiramente o evangelho, temos de explicar nesse ponto a morte e a ressurreição de Jesus e a resposta que Deus exige dos pecadores. Se dissermos apenas que Deus está redimindo um povo e refazendo o mundo, mas não dissermos *como ele está fazendo isso* (por meio da morte e da ressurreição de Jesus) e *como uma pessoa pode ser incluída nessa redenção* (por meio do arrependimento e da fé em Jesus), não proclamamos as boas-novas. Apenas contamos a narrativa da Bíblia, seguindo um esboço amplo e deixamos os pecadores sem informações suficientes para assimilarem o evangelho.

Transformação cultural não é o evangelho

A ideia de ver a cultura transformada pelo labor dos cristãos parece ter cativado a mente de muitos evangélicos. Acho que isso é um alvo nobre. Também penso que o esforço de resistir ao mal na sociedade – quer no indivíduo, quer no sistema – é um alvo bíblico. Paulo nos diz que devemos fazer "o bem a todos, mas principalmente aos da família da fé" (Gl 6.10). Jesus nos diz que devemos cuidar de nosso próximo, e isso inclui os que não fazem parte do povo de Deus (Lc 10.25-37). Ele também nos diz: "Assim brilhe também a vossa luz diante dos homens, para que vejam as vossas boas obras e glorifiquem a vosso Pai que está nos céus" (Mt 5.16).

Muitos transformacionalistas vão além disso, achando o mandato de "redimir a cultura" na estrutura da história bíblica. Se Deus está envolvido na obra de refazer o mundo, eles argumentam, temos a responsabilidade de unir-nos a ele nessa obra, juntar-nos na edificação do reino e darmos passos importantes tendo em vista o estabelecimento do reino de Deus em nossa vizinhança, nossa cidade, nossa nação, nosso mundo. "Temos de fazer o que vemos Deus fazendo", eles dizem.

Expressarei meus pensamentos sobre o assunto. Tenho algumas restrições sérias, bíblicas e teológicas a respeito do paradigma de transformação cultural. Não estou convencido de que a Escritura coloca os esforços que visam à transformação cultural na posição de prioridade que muitos transformacionalistas reivindicam. Penso assim, por várias razões. Por um lado, não acho que o mandato cultural apresentado em Gênesis é dado ao povo de Deus em especial; creio que ele é dado à raça humana como um todo. Também não creio que a trajetória geral da cultura humana, quer relatada na Escritura, quer na História, segue a direção divina. Em vez disso, penso que a trajetória da cultura humana como um todo, embora não em todos os particulares, está em rota de juízo (ver Apocalipse 17-19). Portanto, acho que o otimismo de muitos transformacionalistas quanto à possibilidade de "mudar o mundo" é enganoso e, por isso, se revelará desencorajador.

Entretanto, tudo isso constitui uma discussão bíblica e teológica enorme, que não é o meu objetivo neste livro. Na verdade, penso que é possível ser um transformacionalista dedicado e, ao mesmo tempo, estar comprometido em manter a cruz de Cristo no próprio âmago da história bíblica e das boas-novas do evangelho. Afinal de contas, é o povo de Deus *perdoado* e *redimido* que ele usará para realizar a transformação, e o perdão e a redenção acontecem somente por meio da cruz.

Meu principal interesse neste livro é algo com o que, espero, os meus amigos transformacionalistas evangélicos concordarão sinceramente. Preocupa-me o fato de que, com muita frequência, entre alguns transformacionalistas, a redenção cultural se torna sutilmente a grande promessa e o âmago do evangelho – o que, de fato, significa que a cruz, deliberadamente ou não, é removida dessa posição. Você pode ver isso em muitos livros que expressam grande ênfase na transformação cultural. O entusiasmo e a alegria mais elevados são estimulados pela promessa de uma cultura reformada, e não pela obra de Cristo na cruz. Os apelos mais fervorosos são dirigidos às pessoas para que se unam a Deus na obra de mudar o mundo, e não para que se arrependam e creiam em Jesus. Diz-se que a linha histórica da Bíblia se centraliza em refazer o mundo, e não na morte vicária de Jesus.

E, no processo, o Cristianismo se torna cada vez menos a mensagem sobre a graça de Deus e a fé, e cada vez mais uma religião banal de "viva assim e mudaremos o mundo". Isso não é Cristianismo, é moralismo.

Uma Pedra de Tropeço e Loucura

Por fim, pergunto-me se o impulso de remover a cruz do centro do evangelho não procede do simples fato de que o mundo não gosta da cruz. No melhor, os homens incrédulos pensam que a cruz é uma fábula ridícula e, no pior, uma mentira monstruosa. De fato, isso não deve nos surpreender. Paulo nos disse que seria assim. A mensagem da cruz, ele disse, será uma pedra de tropeço e uma tolice para as demais pessoas!

Acrescente a isso o fato de que *desejamos* realmente que o mundo seja atraído ao evangelho; e você faz enorme pressão sobre os cristãos para que achem meios de não terem de falar muito sobre a "religião da cruz ensanguentada". Estou dizendo: queremos que o mundo aceite o evangelho e não que o despreze, certo?

No entanto, temos de encarar a verdade. A mensagem da cruz parecerá insensatez para as pessoas que nos cercam. Fará os cristãos parecerem tolos e, muito certamente, frustrará nossas tentativas de "relacionar-nos" com os não-cristãos e provar-lhes que somos tão legais e inofensivos como as demais pessoas. Os cristãos sempre podem fazer com que o mundo pense que eles são legais – até o momento em que comecem a falar a respeito de sermos salvos por meio de um homem crucificado. Nesse momento, a nossa agradabilidade evapora, não importando quão cuidadosamente nós a temos cultivado.

Apesar disso, as Escrituras deixam claro que a cruz *tem de* permanecer no centro do evangelho. Não podemos movê-la para o lado, nem podemos substituí-la por qualquer outra verdade como o centro, o âmago e a fonte das boas-novas. Fazer isso significa apresentar ao mundo algo que não salva e, portanto, não é, realmente, boas-novas.

A Bíblia nos dá instruções claras sobre como devemos reagir a qualquer pressão para remover a cruz do centro do evangelho. Temos de resistir a isso. Considere o que Paulo disse sobre isso em 1 Coríntios. Ele sabia que a mensagem da cruz parecia, no melhor, insensata para os que viviam ao seu redor. Paulo sabia que eles rejeitariam o evangelho por causa disso, que o evangelho seria mau cheiro no nariz deles. Contudo, mesmo em face dessa rejeição certa, Paulo disse: "Nós pregamos a Cristo crucificado" (1 Co 1.23). De fato, ele resolveu "*nada* saber entre vós, senão a Jesus Cristo e este crucificado" (1 Co 2.2). Paulo teve essa atitude, como ele mesmo disse no final do livro, porque o fato de que "Cristo morreu pelos nossos pecados, segundo as Escrituras", era não somente importante, nem mesmo apenas *muito* importante. Era de importância *crucial* (1 Co 15.3).

E se isso nos traz o desprezo do mundo? E se as pessoas respondem melhor a um evangelho voltado à renovação do mundo, e não à morte de Cristo em lugar dos pecadores? E se as pessoas zombam do evangelho porque ele fala sobre um homem que morreu na cruz? Que assim seja, disse Paulo. Estou pregando a cruz. As pessoas podem pensar que essa mensagem é ridícula; podem pensar que é loucura. Mas eu sei que "a loucura de Deus é mais sábia do que os homens" (1 Co 1.25).

Paulo se assegurou de que a cruz fosse o assunto central do evangelho que ele pregava. Devemos fazer o mesmo. Se deixarmos que alguma outra coisa se torne o centro, poderemos também estar dizendo: "Permita-me ajudá-lo a pular o muro. Confie em mim. Você se dará bem".

Capítulo 8

O Poder do Evangelho

Pouco antes de graduar-me na faculdade, dois de meus melhores amigos e eu decidimos, por impulso repentino, fazer uma viagem de nossa cidade natal, no Leste do Texas, até ao Parque Nacional de Yellowstone. Foi uma grande viagem, um tipo de rito de passagem de idade para três rapazes que estavam entrando na idade adulta.

Como você pode imaginar, a viagem foi cheia de vistas maravilhosas de montanhas, gêiseres, fontes de águas sulfurosas e muitos, muitos alces. Certa manhã, todos decidimos que passaríamos o dia em caminhada, e todos concordamos que, apenas por emoção, não levaríamos nenhum mapa. Queríamos ver aonde a trilha nos levaria. Então, pegamos um pouco de comida para o almoço, colocamos nossos celulares nas mochilas e saímos.

Foi uma longa caminhada. E, depois de um tempo, começamos a brincar um com o outro dizendo que estávamos no Parque Nacional de Yellowstone e que ele não parecia muito diferente das florestas que víamos no Leste do Texas, onde havíamos crescido. Pinheiros altíssimos nos cercavam em todos os lados, e, de vez em quando, tínhamos de pular sobre um córrego que cortava nosso caminho. No entanto, não havia muito a admirar, e começamos a perder o interesse.

Então, de repente, antes que algum de nós tivesse tempo de observar que alguma coisa estava mudando, a floresta clareou e nos vimos à beira do Grand Canyon do Yellowstone.

Estendendo-se abaixo de nós por muitos quilômetros, havia uma fenda magnífica na terra. Um rio corria pela base do cânion, brilhando enquanto o sol reluzia sobre ele. Os pássaros voavam abaixo de nós, e nuvens passavam rapidamente acima de nós, apanhadas, eu acho, pelas correntes de vento canalizadas pelo cânion.

Que incrível sentimento de pequenez eu tive naquele momento, fitando a vertiginosa expansão abaixo de mim e olhando para o céu! Por alguns momentos, nós três – pela primeira vez em todo aquele dia – ficamos em silêncio. Depois, um de meus amigos começou a cantar:

Senhor meu Deus, quando eu maravilhado,
Contemplo a tua imensa criação...[1]

Ele não cantava bem, mas seu coração estava plenamente certo! Nos minutos seguintes, permanecemos à beira do Grand Canyon do Yellowstone e louvamos àquele que criou essa obra-prima que inspira admiração.

Por que Negligenciamos o Evangelho?

Acho que o evangelho deveria ter esse mesmo efeito impactante sobre nós, se separássemos tempo, parássemos e pensássemos realmente sobre ele. Quanto tempo já se passou desde que você olhou para o alto, com base nos detalhes da vida, e ficou diante do Grand Canyon do que Deus fez por nós no evangelho – sua graça insondável em perdoar pessoas que se rebelaram contra ele, seu plano inescrutável de enviar seu Filho para sofrer e morrer em lugar de pecadores, para estabelecer o trono do Jesus ressuscitado em um reino de perfeita justiça e trazer aqueles que são salvos e redimidos por seu sangue aos novos céus e à nova terra, onde o pecado e o mal serão vencidos para sempre?

---

[1] "How Great Thou Art", Stuart K. Hine, 1949; baseado no poema "O Store Gud", Carl G. Boberg, 1886.

Por que eu permito que a beleza, o poder e a amplitude do evangelho sejam retirados tão frequente e demoradamente de meus pensamentos? Por que minhas emoções e pensamentos são, com frequência, dominados por coisas tolas como se meu carro está limpo, ou se estou satisfeito com o meu almoço de hoje, ou o que está acontecendo no mundo agora mesmo, em vez de serem dominados pelas gloriosas verdades do evangelho? Por que, muito frequentemente, organizo a minha vida como se eu estivesse vendo apenas o presente, e não a organizo à luz da eternidade? Por que este evangelho não permeia, em todo o tempo e profundamente, os meus relacionamentos com a esposa, os filhos, os colegas de trabalho, os amigos e os irmãos da igreja?

Sei exatamente por quê. Isso acontece porque sou um pecador, e o mundanismo continuará a demorar-se em meu coração e a guerrear contra mim, até o dia em que Jesus volte. Mas, até aquele dia, quero lutar contra isso. Quero lutar contra a preguiça espiritual, contra a indiferença entorpecente na qual este mundo ameaça constantemente colocar-me. Quero abraçar com firmeza este evangelho, permitindo que ele afete tudo – minhas emoções, ações, afeições, desejos, pensamentos e vontade.

Espero que você também queira isso. Espero que este pequeno livro tenha ajudado a distinguir as coisas, para que você perceba a grandeza do que Deus fez por nós em Jesus. E agora? Bem, desejo mencionar algumas poucas coisas – há muitas outras que não mencionarei – a respeito de como as boas-novas de Jesus deve afetar nossa vida.

Arrependa-se e Creia

Primeiramente, se você não é um cristão, agradeço-lhe por ter lido até esta altura do livro. Espero que você tenha tido a oportunidade de meditar nestas boas-novas sobre Jesus e desejo que elas tenham se aprofundado em sua mente. Para você, acho que a pergunta "e agora?" é realmente simples. Não há muitas coisas que você deve fazer. De fato, há apenas uma: arrependa-se de seus pecados e creia em Jesus. Isso significa reconhecer sua ruína espiritual, admitindo sua completa incapacidade de salvar-se a si mesmo, e vir a Jesus como sua única esperança de ser perdoado e justificado diante de Deus.

Tornar-se cristão não é um processo laborioso. Não existe nada que possamos merecer. Jesus já conquistou tudo de que você necessita. O evangelho chama você a afastar seu coração do pecado e vir a Jesus com fé – ou seja, crendo e confiando. O evangelho o chama a vir a Jesus e dizer-lhe: "Sei que não posso salvar a mim mesmo, por isso eu creio que o Senhor pode fazê-lo por mim".

Assim, um mundo inteiro se abre para você. Mas tudo começa com o arrependimento do pecado e a confiança em Jesus para salvar você.

Descanse e Regozije-se

Se você é um cristão, o evangelho o chama, antes de tudo, a descansar em Jesus e regozijar-se na imensurável salvação que ele obteve para você. Por causa de Jesus, e porque sei que estou unido a ele pela fé, posso lutar contra a tentação de pensar que minha salvação é frágil ou passageira. Embora eu sinta isso em determinado momento, posso saber – bem por trás das dúvidas tentadoras – que pertenço a Jesus e que ninguém pode arrancar-me de suas mãos. Posso ter essa certeza porque o evangelho me diz que minha posição diante de Deus não se fundamenta na checagem de meu desempenho espiritual. Bastante fruto? Sim. Tempo de devoções? Sim. Conversa espiritual? Sim, sim, sim! Grande! Hoje estou me sentindo *realmente* salvo.

Quão ridículo é isso à luz do que o evangelho ensina a respeito de Jesus! Graças a Deus, o meu relacionamento com ele não se baseia em minha vontade instável ou em minha capacidade de viver corretamente. Não! Deus já pronunciou seu veredito a meu respeito, que é: "PERDOADO!". Além disso, o seu veredito nunca mudará, porque está fundamentado apenas e para sempre em Jesus – sua morte na cruz em meu lugar e sua intercessão por mim agora, diante do trono de Deus.

Se você é um cristão, a cruz de Jesus é como uma montanha de granito em sua vida, testificando inabalavelmente do amor de Deus por você e da determinação de Jesus de levá-lo em segurança à sua presença. Como Paulo disse em Romanos: "Se Deus é por nós, quem será contra nós? Aquele que não poupou o seu próprio Filho, antes, por todos nós o entregou, porventura, não nos dará graciosamente com ele todas as coisas?" (Rm 8.32-33).

Ame o Povo de Cristo

Se você já é um cristão, o evangelho deve também impulsioná-lo a um amor mais profundo e vivo para com o povo de Deus, a igreja. Nenhum de nós, cristãos, merecemos seu direito à herança que Deus tem reservado para nós. Não tornamos a nós mesmos cidadãos do reino. Estamos incluídos nas promessas de Deus tão-somente porque sabemos que dependemos de Jesus Cristo para salvar-nos e estamos unidos a ele pela fé.

No entanto, eis a surpresa. Você admite que isso também é verdade quanto àquele irmão da igreja que o irrita? Ele crê no mesmo Senhor Jesus que você crê e, além disso, foi salvo e perdoado pelo mesmo Senhor que salvou e perdoou você. Pense sobre aquele irmão ao qual você ainda não dedicou tempo para conhecer, porque simplesmente pensa que não seria bem sucedido. Pense naquela pessoa com quem você tem um relacionamento quebrado e você se recusa a restaurar. Considere que ela ama e confia no mesmo Senhor que você ama e confia. Considere que o mesmo Senhor que morreu por você morreu também por ela.

Pergunto-me se o seu entendimento do evangelho de Jesus Cristo – as boas-novas de que Jesus salvou você, embora você não merecesse isso – é tão profundo que pode absorver as pequenas críticas que você recebe de seus irmãos e irmãs em Cristo. Pergunto-me se é tão profundo que pode cobrir as ofensas que eles têm cometido contra você, inclusive as mais dolorosas, e levá-lo a perdoá-los e amá-los como o próprio Jesus o fez por você e por eles. Pergunto-me se a amplitude do amor de Deus por você tem aumentado o seu amor para com os outros.

Pregue o Evangelho ao Mundo

Não somente isso, a graça de Deus manifestada a você deve levá-lo a amar mais as pessoas que vivem ao seu redor e a anelar ver pessoas chegando a conhecer a Jesus Cristo e crer nele. Se entendermos verdadeiramente a graça que Deus nos mostrou, nosso coração desejará ardentemente ver essa mesma graça sendo mostrada a outros.

Depois de sua ressurreição, Jesus apareceu aos seus discípulos e lhes disse: "Assim está escrito que o Cristo havia de padecer e ressuscitar dentre os mortos no terceiro dia e que em seu nome se pregasse arrependimento para remissão de pecados a todas as nações, começando de Jerusalém". Ali estava, apresentado com bastante clareza aos discípulos, o plano de Deus para salvar um povo para ele mesmo. Em seguida, surpreendentemente, Jesus acrescentou isto: "Vós sois testemunhas destas coisas" (Lc 24.46-48). Sempre tenho imaginado que a face dos discípulos ficou pálida quando ouviram essas palavras! O propósito de Deus não era nada menos do que a redenção do mundo, e Jesus estava dizendo aos discípulos que esse propósito seria realizado *por meio deles*!

Não sei quanto a você, mas isso me faz sentir incrivelmente inadequado. Deus tenciona realizar seus propósitos no mundo por meio de *nós*? Admirável! Mas, se você se sente indigno e inadequado, gostaria de oferecer-lhe encorajamento. Você é indigno e, certamente, inadequado! Como isso pode encorajar-nos? Olhemos para nós mesmos – seres humanos frágeis e fracos que ainda lutamos contra o pecado cada dia de nossas vidas. Mas, apesar disso, Jesus nos diz: "Vocês serão minhas testemunhas". É por meio de nossa proclamação do evangelho – mediante a pregação, o ensino ou conversas nas refeições com os amigos, membros da família e colegas de trabalho – que Deus resolveu salvar pecadores.

Você já se perguntou por que o anjo que falou com Cornélio, em Atos 10, não lhe anunciou o evangelho. Por que houve todo o trabalho de Cornélio enviar alguém a chamar Pedro, que estava em uma cidade diferente? Se o anjo pôde dizer tudo aquilo a Cornélio, ele poderia, com certeza, ter-lhe anunciado o evangelho! Mas não o fez, porque Deus determinou que o evangelho avançasse por meio das palavras faladas por seu povo, ou seja, pelos lábios daqueles que têm abraçado as boas-novas sobre Jesus e conhecido o perdão que vem dele.

Se você é um cristão, compreenda que você possui a única e verdadeira mensagem de salvação que o mundo precisa ouvir. Nunca haverá outro evangelho, e não há outra maneira de pessoas serem salvas de seus pecados. Se os seus amigos, familiares e colegas de trabalho têm de ser salvos de seus pecados, isso acontecerá se alguém lhes falar o evangelho de Jesus Cristo. Essa é a razão por que Jesus nos comissiona a ir ao mundo, pregando e ensinando essas boas-novas às nações. É também o que Paulo quis dizer quando perguntou: "Como, porém, invocarão aquele em quem não creram? E como crerão naquele de quem nada ouviram? E como ouvirão, se não há quem pregue?" (Rm 10.14). Há muitas coisas boas que podemos fazer como cristãos, mas o fato é que muitas dessas coisas boas também serão feitas alegremente por aqueles que não são cristãos. Mas, se nós, cristãos, deixarmos de pregar o evangelho de Jesus, quem fará isso? Ninguém.

Deixe que as verdades do evangelho penetrem seu coração e quebrantem-no em benefício daqueles que não conhecem a Jesus Cristo. Medite no que significa para seus amigos, familiares e colegas de trabalho comparecer sem Jesus Cristo diante de Deus, o Juiz justo. Lembre o que a graça de Deus fez em sua própria vida e imagine o que pode fazer na vida deles. Pare, ore pela obra do Espírito de Deus, abra a sua boca e fale.

Anele por Cristo

Por fim, o evangelho deve fazer-nos anelar pelo dia em que nosso Rei Jesus voltará para estabelecer seu reino plena, cabal e eternamente. Esse não é um anelo resultante apenas de *estarmos* no reino; não anelamos pela volta de Jesus somente porque viveremos num mundo em que o pecado será vencido e a justiça reinará.

Essas promessas são maravilhosas, mas não são, elas mesmas, bastante sublimes. Não. Se entendermos corretamente o evangelho, anelaremos mais pelo Rei do que pelo reino. O evangelho nos fez conhecer o Rei Jesus e amá-lo; por isso, anelamos estar com ele. "A minha vontade é que onde eu estou, estejam também comigo os que me deste" (Jo 17.24). E desejamos estar com ele, juntamente com milhões de outras pessoas para adorá-lo.

O livro de Apocalipse contém uma visão admirável do que Deus preparou para nós que o amamos. É apenas um vislumbre, mas você pode sentir o tremendo senso de vitória, alegria, descanso e finalidade neste quadro dos redimidos adorando Jesus Cristo.

> Depois destas coisas, vi, e eis grande multidão que ninguém podia enumerar, de todas as nações, tribos, povos e línguas, em pé diante do trono e diante do Cordeiro, vestidos de vestiduras brancas, com palmas nas mãos; e clamavam em grande voz, dizendo: Ao nosso Deus, que se assenta no trono, e ao Cordeiro, pertence a salvação.
>
> *Ap 7.9-10*

Esse é o dia pelo qual o evangelho nos impulsiona a anelar. Mesmo quando passamos por tribulações, perseguições, irritações, tentações, distrações, apatia e a fadiga deste mundo, o evangelho nos aponta o céu, onde o Rei Jesus – o Cordeiro de Deus que foi crucificado em nosso lugar e ressuscitou gloriosamente dentre os mortos – está agora assentado e intercede por nós. E não somente isso: o evangelho também nos chama àquele dia final, quando os céus serão enchidos com o som estridente de milhões e milhões de vozes perdoadas, exaltando Jesus como Salvador crucificado e Rei ressuscitado.

Agradecimentos

Assim como em qualquer projeto de livro, envolvidas neste projeto estiveram muitas pessoas às quais devo palavras de gratidão. Uma pessoa não aprende ou pensa em isolamento. Eu poderia gastar muito espaço citando irmãos e irmãs com os quais tenho, nesta última década ou mais, conversado e pensado sobre o evangelho. No entanto, há algumas poucas pessoas para as quais eu gostaria de dizer um especial "muito obrigado".

Primeiramente, à admirável equipe da Crossway. Agradeço-lhes por darem uma oportunidade a um autor desconhecido. Se o Senhor achar conveniente usar este livro para edificar sua igreja, isso terá acontecido pela instrumentalidade de vocês.

Agradeço também à equipe do Ministério Nove Marcas por seu encorajamento para que eu escrevesse este livro e seus esforços para torná-lo realidade. A visão e a paixão de Matt Schmucker pela saúde da igreja ao redor do mundo são inspiradoras. Sinto-me honrado em conhecê-lo e trabalhar com ele. Jonathan Leeman ajudou-me tremendamente em escrever este livro. Por meio de conversas, e-mails e edição, ele aprimorou esta obra. Agradeço também a Bobby Jamieson, que esvaziou muitas xícaras de café conversando comigo sobre o reino. Que prazer é fazer parte desta equipe!

Agradeço a Mark Dever, meu querido irmão em Cristo, por impelir-me a escrever meu primeiro livro. Eu lhe sou devedor, de maneiras que, tenho certeza, nem mesmo consigo expressar. Orgulho-me de chamá-lo meu mentor espiritual. Sinto-me feliz porque o Senhor nos surpreendeu por trazer-me de volta a Washington DC por um tempo. Ele foi tão gracioso em nos dar este tempo para estarmos juntos.

Finalmente, sou grato a minha linda esposa, Moriah, que me ama e cuida tão bem de mim. Ela suporta mais do que os seus justos deveres quando desapareço para tratar de algum problema teológico difícil. Querida, amo você profundamente.

IX 9Marcas

Sua igreja é saudável? O Ministério *9Marcas* existe para equipar líderes de igreja com uma visão bíblica e com recursos práticos a fim de refletirem a glória de Deus às nações através de igrejas saudáveis.

Para alcançar tal objetivo, focamos em nove marcas que demonstram a saúde de uma igreja, mas que são normalmente ignoradas. Buscamos promover um entendimento bíblico sobre: (1) Pregação Expositiva, (2) Teologia Bíblica, (3) Evangelho, (4) Conversão, (5) Evangelismo, (6) Membresia de Igreja, (7) Disciplina Eclesiástica, (8) Discipulado e (9) Liderança de Igreja.

Visite nossa página

www.pt.9marks.org

FIEL
MINISTÉRIO

O Ministério Fiel visa apoiar a igreja de Deus de fala portuguesa, fornecendo conteúdo bíblico, como literatura, conferências, cursos teológicos e recursos digitais.

Por meio do ministério Apoie um Pastor (MAP), a Fiel auxilia na capacitação de pastores e líderes com recursos, treinamento e acompanhamento que possibilitam o aprofundamento teológico e o desenvolvimento ministerial prático.

Acesse e encontre em nosso site nossas ações ministeriais, centenas de recursos gratuitos como vídeos de pregações e conferências, e-books, audiolivros e artigos.

Visite nosso site
www.ministeriofiel.com.br

Esta obra foi composta em Goudy Old Style Regular 10.9, e impressa
na Promove Artes Gráficas sobre o papel Pólen Soft 70g/m²,
para Editora Fiel, em Março de 2024